Cristnogaet

Cristnogaeth a Gwyddoniaeth

Noel A. Davies a T. Hefin Jones

Gwasg Prifysgol Cymru
2017

www.gwasgprifysgolcymru.org

Mae cofnod catalogio'r gyfrol hon ar gael gan y Llyfrgell Brydeinig.

ISBN   978-1-78683-1262
e-ISBN   978-1-78683-1279

Cyhoeddir gyda chymorth ariannol Cyngor Llyfrau Cymru ac Undeb yr Annibynwyr Cymraeg.

Cysodwyd yng Nghymru gan Eira Fenn Gaunt, Caerdydd
Argraffwyd gan CPI Antony Rowe, Melksham

Cynnwys

Rhagarweiniad

Amcan y gyfrol hon yw cyflwyno, yn y Gymraeg, astudiaeth o rai o'r cwestiynau cymhleth a heriol a godir i ddiwinyddiaeth Gristnogol gan wyddoniaeth gyfoes. Gwelwyd datblygiadau cyffrous ym mhob maes o wyddoniaeth yn ystod yr ugeinfed ganrif a'r unfed ganrif ar hugain. Yn aml iawn, cododd y datblygiadau hyn gwestiynau moesol astrus i'n cymdeithas. Amcan y gyfrol hon, fodd bynnag, fydd helpu'r darllenydd i ystyried y cwestiynau diwinyddol: sut y gall diwinyddiaeth Gristnogol ymateb i'r ddeall-twriaeth lawnach a dyfnach sydd gennym bellach am darddiad, datblygiad a phrosesau'r bydysawd? A all Cristnogion ddal i gyff-esu yng ngeiriau'r Credo, 'Credwn yn Nuw, y Tad Hollalluog, Creawdwr nefoedd a daear'? A fedrant goleddu'r Ffydd Apostol-aidd a ddatguddiwyd yn yr Ysgrythurau ac a gyffesir gan dradd-odiad Cristnogol y canrifoedd, sef, i Dduw ddod yn ddyn yn Iesu, iddo gael ei groeshoelio drosom ni, i Dduw ei gyfodi ar fore'r trydydd dydd, iddo ddanfon yr Ysbryd Glân ar y disgyblion ar y Pentecost cyntaf a'i fod yn eistedd ar ddeheulaw Duw, y Tad, yn ben ar bob peth? Os gellir cyffesu'r ffydd hon o hyd, sut y mae ei dehongli heddiw? Bydd darllenwyr y gyfrol hon yn sylweddoli fod llawer, fel Richard Dawkins, Christopher Hitchens, Daniel Dennett a Sam Harris, deiliaid 'yr atheistiaeth newydd', yn honni nad yw cred mewn Duw yn bosibl neu, o leiaf, nad yw'n angen-rheidiol bellach. Credant y gellir cynnig esboniad llawn o fodolaeth y bydysawd a'r bywyd sydd ynddo heb orfod syrthio'n ôl ar gredu bod ffynhonnell ddwyfol i'r cyfan. Nid oes angen Duw i esbonio'r byd. I'r gwrthwyneb, gellid dadlau fod yn rhaid barnu safbwyntiau gwyddonol yn unol â datguddiad Duw yn Iesu Grist drwy'r Beibl.

Bydd y gyfrol hon yn cynorthwyo darllenwyr i fod yn ymwybodol fod cryn amrywiaeth barn yn y maes cymhleth a diddorol hwn. Fodd bynnag, cred sicr yr awduron presennol yw nad oes gwrthdaro rhwng Cristnogaeth a gwyddoniaeth, a bod dealltwriaeth o'r naill yn cyfoethogi'n dirnadaeth o gyfoeth y llall. Dwy ffenestr wahanol sydd yma sy'n ein galluogi i edrych ar ryfeddod Duw, ar y bydysawd sy'n tarddu yn ei fwriad a'i egni creadigol, ac ar wyrth pob bywyd sy'n ddibynnol ar y bydysawd hwnnw. Eu hamcan yw awgrymu sut y gellir cyfoethogi ffydd Cristnogion yn y Duw a ddatguddiwyd yn Iesu drwy gymryd o ddifri y ddealltwriaeth wyddonol gyfoes o'r bydysawd a'r bywyd sydd ynddo. Mewn geiriau eraill, sut y gall diwinyddiaeth Gristnogol gofleidio'n feirniadol a chreadigol y ddealltwriaeth wyddonol, a chael ei dyfnhau a'i chyfoethogi drwy hynny? Felly, tra bod rhai – o safbwynt diwinyddol neu o safbwynt anghrediniol – wedi gweld gwrthdaro rhwng Cristnogaeth a gwyddoniaeth, bydd y gyfrol hon yn pwysleisio'r modd y mae diwinyddiaeth Gristnogol a gwyddoniaeth yn cyfoethogi ei gilydd a thrwy hynny'n cyfrannu at ehangder a dyfnder ein dirnadaeth o'r ffydd Gristnogol a'r cread o'n cwmpas. Enghraifft o'r safbwynt cadarnhaol hwn am berthynas Cristnogaeth a gwyddoniaeth oedd datganiad y Pab Ffransis mewn anerchiad i'r Academi Pontificaidd ar Wyddoniaeth yn 2014 ei fod yn credu fod y Glec Fawr ac esblygiad yn hollol gyson â'r ffydd Gristnogol yn Nuw fel Crëwr y bydysawd a Rhoddwr bywyd. Nid yw hyn, meddai'r Pab, yn golygu mai 'dewin yw Duw'. Dyma dystiolaeth bwysig o blaid safbwynt y gyfrol hon mai egni creadigol a chariadus Duw fu ar waith o'r dechreuadau. Darganfod mwy am yr egni hwn a wnawn o genhedlaeth i genhedlaeth.[1]

Fel yn achos y rhan fwyaf o gyfrolau o'r fath, bydd cyfyngiadau ymarferol ar hyd y gyfrol ac felly ar y rhychwant o bynciau y gellir eu trafod. Gobaith yr awduron yw eu bod wedi ymdrin â'r prif faterion sy'n destun trafodaethau cyfoes ar berthynas Cristnogaeth a gwyddoniaeth. Tarddodd y gyfrol mewn cyrsiau ar yr un pwnc yng Ngholeg y Drindod, Caerfyrddin (fel yr ydoedd y pryd hwnnw) ac ym Mhrifysgol Caerdydd. Rhannwyd y gwaith o lunio'r drafftiau cyntaf o'r penodau rhwng y ddau awdur cyn iddynt fynd ati i werthuso a beirniadu gwaith ei gilydd nes dod i gytundeb ar fersiynau terfynol o'r penodau. Yn yr ystyr hwn y mae'r gyfrol gyfan yn gyfanwaith gan y ddau awdur.

Cyflwyna'r bennod gyntaf, 'Edrych yn Ôl: Rhai Trobwyntiau Hanesyddol', fraslun o ddatblygiad y drafodaeth rhwng diwinyddiaeth a gwyddoniaeth o'r Oesoedd Canol ymlaen. Ceir ystyriaeth o'r chwyldro meddyliol a achoswyd o ganlyniad i waith nifer o wyddonwyr amlwg ac enwog. Rhoddir ystyriaeth i ddamcaniaethau heriol Copernicws a Galileo yn ystod yr unfed a'r ail ganrif ar bymtheg ynglŷn â chylchoedd y planedau a pherthynas yr Haul â'r ddaearen hon. Cawn drafod goblygiadau Deddfau Mudiant Newton yn y ddeunawfed ganrif. Y mae'r chwyldro a'r dadlau a achoswyd gan Ddamcaniaeth Esblygiad Charles Darwin ac Alfred Wallace yn ystod ail hanner y bedwaredd ganrif ar bymtheg yn dal i ennyn trafodaeth frwd, a hynny dros ganrif a hanner wedi cyhoeddi cyfrol enwog Darwin, *On the Origin of Species*, yn 1859, a rhoddir ystyriaeth i'r dadleuon hyn. Bu chwyldro gwyddonol yr ugeinfed ganrif a'r ganrif bresennol yr un mor gynhyrfus a cheir cyfle yn y bennod hon i roi ystyriaeth gychwynnol i feysydd megis Damcaniaeth Cwantwm, geneteg a chosmoleg.

Seiliau athronyddol gwyddoniaeth a diwinyddiaeth fydd pwnc yr ail bennod. Cymharir seiliau athronyddol y ddwy ddisgyblaeth a thrwy hynny ceisir cyfrannu at ddealltwriaeth lawnach o'u perthynas â'i gilydd, a'u cyfraniad at ein dirnadaeth o'r ffydd Gristnogol. Trafodir amcan y ddwy ddisgyblaeth, eu rhagdybiaethau sylfaenol, y dulliau dadansoddi a ddefnyddir ganddynt, a chanlyniadau eu hymchwilio a'u hymholi. Ystyrir materion megis arbrofi, casglu tystiolaeth empeiraidd, llunio, cadarnhau, addasu a gwrthod damcaniaethau, a lle modelau mewn esboniadaeth wyddonol. Ar ddiwedd y bennod cyflwynir gwahanol ffyrdd o ddeall perthynas y ddwy ddisgyblaeth â'i gilydd.

Dechreuadau'r bydysawd fydd pwnc y drydedd bennod, 'Y Glec Fawr, y Cread a Duw'. Rhoir amlinelliad o brif ddamcaniaethau cosmoleg gyfoes a'r datblygiadau diweddaraf yn y maes, gan gynnwys yr ymchwil a ddeilliodd o'r *Cyclotron* yn Genefa. Ydyw'r safbwynt beiblaidd yn anghyson â'r damcaniaethau hyn?

Neu a oes modd eu cysoni â'i gilydd? Yn wyneb y drafodaeth hon, beth olyga bellach i gyffesu Duw (yng ngeiriau'r Credo) fel 'Crëwr pob peth, gweledig ac anweledig'?

Yn y bedwaredd bennod, 'Siawns, Cynllun ac Anghenraid', trosglwyddir ein sylw o'r anferthedd cosmig i fychander micro-sgopaidd y gronynnau a'r pelydrau sy'n ddeunydd crai'r bydysawd. Ffiseg yr ugeinfed ganrif fydd pwnc y bennod hon. Dyma faes sydd wedi'n gorfodi i feistroli dealltwriaeth wahanol o natur realiti yn sgil darganfyddiadau am natur mater ei hun, am y gronynnau, y pelydrau a'r egnïon sy'n greiddiol i ffiseg cwantwm. Rhoddir ystyriaeth hefyd i ddamcaniaeth chwyldroadol Einstein am berthnasolrwydd ac, ar sail hynny, i'r cwestiwn creiddiol: a ydyw sicrwydd absoliwt yn bosibl neu a ydyw popeth yn fater o siawns ac, felly, yn ansicr a phenagored?

Yn hanner olaf yr ugeinfed ganrif bu darganfod natur a swyddogaeth DNA yn achos chwyldro llawn cymaint â damcaniaethau Darwin ac eraill yng nghanol y ganrif flaenorol. Yn wir, yn y maes hwn, yn anad un, y codwyd y cwestiynau mwyaf heriol ac y cafwyd y dadleuon mwyaf llosg. Bydd y bumed bennod, 'Darwin, DNA a Duw', yn cyflwyno amlinelliad o'r datblygiadau gwyddonol hyn, yn ystyried sut y maent yn herio diwinyddiaeth, ac yn ein gorfodi i feddwl yn wahanol am berthynas y ddynolryw â gweddill y cosmos ac â'r Duw sy'n Grëwr y cyfan.

Bydd y chweched bennod, 'Biotechnoleg a Datblygiadau Meddygol', yn ymdrin â natur datblygiadau megis ymchwil bôngelloedd, clonio ac addasu genetig, eu seiliau gwyddonol a'r heriau diwinyddol a godir ganddynt. Y mae'r maes hwn yn codi cwestiynau dirdynnol sy'n aml yn ymwneud, mewn modd mwyaf personol, â chraidd ein bywyd fel personau unigol, fel teuluoedd ac fel dynolryw sy'n byw mewn partneriaeth â'r Ddaear. Byddwn yn edrych yn bennaf ar y modd y mae gwyddoniaeth yn medru herio a chyfoethogi diwinyddiaeth Gristnogol ond, yn y bennod hon, ni fyddwn yn medru osgoi ystyried rhai o'r cwestiynau moesol hefyd.

Yn wyneb hyn oll beth sydd gan wyddoniaeth i'w ddweud am y natur ddynol ac a ydyw'r ddealltwriaeth hon yn gyson â'r safbwynt Cristnogol, sef, ein bod wedi'n creu 'ar lun a delw Duw' (gw. Genesis 1:26 ym.)? Bydd y seithfed bennod, 'Y Natur Ddynol', yn ystyried amrywiol agweddau ar y cwestiwn hwn o safbwynt biolegol a seicolegol, cyn ystyried y cwestiwn o safbwynt beiblaidd a diwinyddol. Daw'r bennod i ben drwy geisio cyflwyno ateb i'r cwestiwn oesol: a ydym ni'n rhydd?

Yn y blynyddoedd diwethaf bu cynnydd enfawr yn ein consérn am yr amgylchedd a dadlau chwyrn am ein cyfrifoldeb fel dynol-ryw dros warchod 'y byd o'n cwmpas' ar gyfer cenedlaethau i ddod. Bydd yr wythfed bennod, 'Glendid Maith y Cread: Cristnogion a'r Amgylchedd', yn edrych ar bynciau amgylcheddol a'r modd y gallwn (o safbwynt gwyddonol) ac y dylem (o safbwynt moesol a Christnogol) ymateb i'r argyfwng yr ydym, yn ôl pob tystiolaeth, a hynny ar waethaf rhai dadleuon i'r gwrthwyneb, yn ei wynebu.

Yng ngoleuni'r pynciau cymhleth a drafodwyd yn y penodau blaenorol bydd y bennod olaf, 'Credwn yn Nuw', yn dychwelyd at y cwestiwn sy'n greiddiol i gredo bob Cristion: yn wyneb gwydd-oniaeth y ganrif a hanner diwethaf, a ydyw'n bosibl credu yn Nuw? Os nad ydyw, a oes ystyr a phwrpas i'r cosmos ac i fywyd dynol? Os ydyw, mewn cyfnod a ystyrir gan rai yn ôl-fodernaidd, pa fath ar Dduw y medrir credu ynddo? Bydd y gyfrol yn ystyried saf-bwyntiau diwinyddol amrywiol er mwyn ceisio cyflwyno dir-nadaeth o Dduw sy'n dal yn gredadwy yn yr unfed ganrif ar hugain.

Bwriedir y gyfrol hon ar gyfer israddedigion, athrawon, gweinid-ogion a darllenwyr cyffredinol sydd â diddordeb yn y berthynas rhwng Cristnogaeth a gwyddoniaeth. Felly, ceir arolwg cyffredinol o'r lenyddiaeth academaidd eang sydd wedi ymddangos dros y degawdau diwethaf er mwyn awgrymu sut y gall y ffydd Grist-nogol elwa o ystyried rhai o brif gasgliadau ymchwil wyddonol y ganrif a hanner ddiwethaf. Y mae llyfryddiaeth eang iawn ar gael yn y Saesneg yn y maes hwn ond ychydig iawn o adnoddau Cymraeg. Cyfeiria'r llyfryddiaeth ddethol ar ddiwedd y gyfrol at rai o'r ffynonellau hyn.

Cyflwynir y gyfrol hon nid yn unig er mwyn cyfrannu at y drafodaeth a helpu eraill i gyfrannu'n fwy deallus iddi ond hefyd i ddangos nad gelynion yw gwyddoniaeth a'r ffydd Gristnogol. Yn hytrach, gallant ein cynorthwyo i ddirnad mwy a mwy o ogon-iant, rhyfeddod a chyfoeth y bydysawd sydd, yng nghredo'r awduron hyn, yn gynnyrch dychymyg, bwriad ac egni'r Duw a ddatguddiwyd i'r ddynolryw trwy Iesu Grist, yn yr hwn y mae pob peth 'yn cyd-sefyll' (Colosiaid 1:17).

Nodyn

[1] Gweler *http://w2.vatican.va/content/francesco/en/speeches/2014/october/ documents/papa-francesco_20141027_plenaria-accademia-scienze.html* (cyrchwyd 26 Ebrill 2017).

Yr Awduron

Wedi ei ordeinio yng Nglanaman yn 1968, bu'r Parchg Ddr Noel A. Davies yn Ysgrifennydd Cyffredinol Cyngor Eglwysi Cymru a Chomisiwn yr Eglwysi Cyfamodol o 1977 tan 1990, ac o Cytûn: Eglwysi Ynghyd yng Nghymru o 1990 tan 1998. Yn ogystal â bod yn ddarlithydd cyswllt yn y Brifysgol Agored, bu'n ddarlithydd cyswllt hefyd ym Mhrifysgol Caerdydd (rhwng 1999 a 2005) ac yng Ngholeg y Drindod, Caerfyrddin (o 1998 tan 2010). Yn y ddau sefydliad hyn bu'n gyfrifol am gyrsiau ar berthynas Cristnogaeth a gwyddoniaeth (cyrsiau y cyfrannodd y Dr Hefin Jones atynt). Y mae'n aelod o banel golygyddol *Gwerddon* ac yn awdur nifer o lyfrau ac erthyglau ar hanes, diwinyddiaeth a moesoldeb Cristnogol yn y cyfnod cyfoes ac esboniad Cymraeg ar Lyfr Genesis. O 1996 tan 2013 bu'n weinidog gyda'r Annibynwyr yn Abertawe a'r cylch. O 2005 tan 2009 bu'n gydlynydd hyfforddi'r Annibynwyr drwy Goleg yr Annibynwyr Cymraeg. Y mae'n gyn-lywydd Undeb yr Annibynwyr Cymraeg. Fel mab y Mans, fe'i magwyd yn Nowlais, sir Forgannwg, Cellan, sir Aberteifi a Phontycymer, sir Forgannwg. Graddiodd mewn gwyddoniaeth (ym Mangor a'r Brifysgol Agored) yn ogystal â diwinyddiaeth (yn Rhydychen). Ar hyn o bryd, y mae'n ymchwilio i fôngelloedd ar gyfer gradd Meistr yng Ngholeg Meddygaeth Prifysgol Abertawe.

Y mae'r Dr T. Hefin Jones yn uwch-ddarlithydd yn Ysgol y Biowyddorau ym Mhrifysgol Caerdydd. Ecolegydd ydyw, sydd wedi arbenigo mewn bioamrywiaeth, sy'n dysgu nifer o gyrsiau yn y maes hwnnw ac yn cyfrannu'n helaeth at gymdeithasau academaidd arbenigol ym Mhrydain ac yn rhyngwladol. Y mae wedi ysgrifennu'n helaeth mewn cyfnodolion ecolegol, yn olygydd y cyhoeddiadau rhyngwladol *Global Change Biology* ac *Agricultural and Forest Entomology*, ac yn olygydd ecoleg yr e-gyfeirlyfr *eLs*. Mae hefyd yn Ddeon y Coleg Cymraeg Cenedlaethol, yn gyn-gadeirydd bwrdd golygyddol *Gwerddon* ac yn aelod o fyrddau golygyddol nifer o gyfnodolion eraill, yn cynnwys *Y Traethodydd*. Graddiodd mewn Swoleg ac Ecoleg ym Mhrifysgol Llundain; Y mae ganddo hefyd Dystysgrif mewn Diwinyddiaeth o Goleg y Brenin, Llundain, ac ysgrifennodd nifer o erthyglau am berthynas Cristnogaeth a gwyddoniaeth. Yn y flwyddyn 2000 cyflwynodd Ddarlith Pant-yfedwen ar *Crefydd, Y Cread a Chadwraeth*. Y mae'n frodor o Ben-cader, sir Gaerfyrddin, yn gyn-lywydd Undeb yr Annibynwyr Cymraeg ac yn gadeirydd Coleg yr Annibynwyr Cymraeg.

Edrych yn Ôl: Rhai Trobwyntiau Hanesyddol

Nodweddwyd y Canol Oesoedd (yn enwedig y cyfnod o'r unfed ganrif ar ddeg tan y bymthegfed ganrif) gan ddealltwriaeth ddaear-ganolog o'r bydysawd. Credwyd bod y Ddaear yng nghanol y bydysawd ac, o ganlyniad, bod y sêr a'r planedau i gyd yn cylchdroi o'i chwmpas. Tarddai'r ddealltwriaeth hon o waith yr athronydd a'r seryddwr Helenistaidd Claudius Ptolemaeus (neu Ptolemy, tua 90–168 OC). Hon fu'r brif ddamcaniaeth gosmolegol mewn athroniaeth Gristnogol, Iddewig ac Islamaidd am fileniwm a mwy.

O bryd i'w gilydd, fe awgrymodd rhai athronwyr a seryddion (a Pythagoras (570–495 CC) yn eu plith) nad y Ddaear ond yr Haul oedd yng nghanol y bydysawd. Ni dderbyniwyd y damcaniaethau hynny. Y foment dyngedfennol oedd cyhoeddi *De Revolutionibus Orbium Coelestium* (Ar Dreiglau'r Nefol Gronellau) gan Nicolaus Copernicus (1473–1543) yn fuan cyn ei farwolaeth. Fe'i ganwyd yng Ngwlad Pwyl ac fe'i addysgwyd ym Mhrifysgol Krakow a phrifysgolion yn yr Eidal. Honnai Copernicus mai'r Haul oedd yng nghanol y bydysawd a bod y sêr a'r planedau (gan gynnwys y Ddaear) yn cylchdroi o'i gwmpas oddi mewn i'w cylchoedd eu hunain. Roedd y ddamcaniaeth haul-ganolog hon yn fygythiad sylfaenol i ddamcaniaeth ddaear-ganolog Ptolomy. Dadleuodd Copernicus nad oedd yn ofynnol, wrth geisio esbonio symudiadau'r planedau, i ragdybio fod y Ddaear yn sefydlog yng nghanol y bydysawd ac y gellid cynnig esboniad gwell o berthynas y planedau â'i gilydd drwy ragdybio mai'r Haul oedd yn y canol. Ni chafodd ei ddadleuon eu derbyn ar unwaith gan yr Eglwys Gatholig Rufeinig oherwydd eu bod yn creu problemau sylfaenol mewn perthynas ag egwyddorion athroniaeth naturiol y cyfnod a fframwaith medd-yliol y Beibl. Er hynny, cafodd y cyfnod meddyliol chwyldroadol hwn yn hanes cosmoleg ei alw'n gyfnod Y Chwyldro Copernicaidd.

Y datblygiad tyngedfennol a agorodd y drws i dderbyniad o'r damcaniaethau hyn oedd y gwelliannau i'r telesgop gan Galileo Galilei (1564–1642). Galluogodd hyn iddo ef ac eraill astudio'r planedau a'r sêr yn llawer manylach nag a fu'n bosibl yn y gor-ffennol. Gwelodd fod y ddamcaniaeth Gopernicaidd yn cynnig esboniad llawer mwy derbyniol o'r dystiolaeth weledig hon na'r ddamcaniaeth Ptolomeaidd, a dadleuodd yn gryf o'i phlaid. Am iddo seilio'i ddaliadau cosmolegol ar arsylwi gwyddonol fe'i galwyd (gan Stephen Hawking, er enghraifft[1]) yn dad gwyddoniaeth gyfoes.

Yn 1610 condemniwyd Galileo Galilei gan ddau offeiriad i'r Chwilys Rhufeinig am ddaliadau a ystyriwyd yn hollol groes i'r athrawiaeth Gristnogol, i'r Traddodiad Catholig ac i dystiolaeth y Beibl. Ar y cychwyn, fe'i cafwyd yn ddieuog o unrhyw drosedd. Fodd bynnag, condemniwyd y ddamcaniaeth haul-ganolog gan Chwilys yr Eglwys Gatholig Rufeinig yn 1616 am ei bod 'yn ffals ac yn groes i'r Ysgrythur'.[2] Parhaodd Galileo i amddiffyn y safbwynt hwn ar waethaf rhybuddion yr Eglwys a hynny'n fwyaf arbennig yn ei gyhoeddiad mwyaf enwog, *Dialogo sopra i due massimi sistemi del mondo* (Deialog ynglŷn â dwy brif system y byd), a gyhoeddwyd yn 1632. Fe'i dygwyd gerbron y Chwilys unwaith eto a'r tro hwn fe'i condemniwyd am heresi. Fe'i gorfodwyd i wadu ei honiad ac i dreulio gweddill ei fywyd mewn caethiwed yn ei gartref.

Nid oes amheuaeth, fodd bynnag, nad oedd Galileo yn arloeswr gwyddonol a diwinyddol. Cynrychiola'r chwyldro a ddechreuwyd gan Copernicus ac a gefnogwyd, yn ddiweddarach, gan Galileo, yng ngeiriau McGrath, 'ymadawiad radical oddi wrth y model blaenorol a rhaid ei ystyried yn un o'r newidiadau mwyaf arwydd-ocaol yn y ddirnadaeth ddynol o realiti a ddigwyddodd yn y mileniwm diwethaf'.[3] Yr 'ymadawiad radical' hwn, wrth gwrs, oedd asgwrn y gynnen ac fe'i disgrifiwyd fel newydd-deb diwin-yddol. Gwnaethpwyd hynny ar adeg pan oedd yr Eglwys Gatholig Rufeinig yn chwilio'n egnïol am ffyrdd o ailddatgan y traddodiad Cristnogol er mwyn ymwrthod â datblygiad yr hyn a ddaethpwyd i'w alw'n Brotestaniaeth dan arweiniad Martin Luther, John Calvin,

Huldrych Zwingli ac eraill. Dioddefodd Galileo'n bersonol yn yr ymgiprys hwn pan y'i cyhuddwyd o 'heresi drwy newydd-deb'.[4] Felly, pam oedd y safbwyntiau newydd hyn mor chwyldroadol? A oeddent mewn gwirionedd yn herio'r safbwynt Cristnogol?

Roedd y damcaniaethau newydd hyn yn anodd iawn i ddiwinyddion a oedd wedi arfer â darllen y Beibl trwy lygaid daearganolog, a phob agwedd ar fodolaeth y cread yn canoli ar ein Daear ni. Roedd angen model gwahanol o'r bydysawd a fyddai'n gyson â'r ddealltwriaeth wyddonol newydd. Datblygwyd y model yn nhermau cymhwysiad: y mae datguddiad yn ddiwylliannol ac anthropolegol amodol, felly rhaid ei ddehongli. Hynny yw, y mae Duw yn datguddio'i hun mewn termau sy'n ddealladwy ac o fewn cyrraedd pobl mewn unrhyw gyfnod arbennig. Yn ôl yr egwyddor hon, defnyddiodd awduron Genesis 1 a 2 iaith a delweddau'r dydd, a rhaid eu dehongli gan gydnabod eu bod wedi eu cymhwyso i'r gynulleidfa wreiddiol honno, rhai canrifoedd cyn Crist. Er enghraifft, roedd Calvin (1509–64) – yn groes i ddysgeidiaeth Babyddol y cyfnod – yn cymell astudiaethau gwyddonol o natur. Dadleuai yn erbyn dehongliad llythrennol o'r Beibl am ei fod o blaid y dull cymhwysol hwn o esbonio'r Beibl yn unol â deall-usrwydd unrhyw gyfnod. Gwrthodwyd y safbwynt hwn gan yr Eglwys Gatholig Rufeinig ar y pryd, gan ei bod yn dysgu y dylid esbonio'r Ysgrythur yn llythrennol, ac yng ngoleuni dysgeidiaeth y Tadau Cynnar a deallusion diwinyddol. Mewn gwirionedd, bu rhaid aros hyd 1992 cyn i'r Pab Ioan Pawl II fynegi edifeirwch yr Eglwys am ei hagwedd tuag at Galileo.

O ddechrau Oes yr Ymoleuo hyd heddiw, ymdebygodd achos Galileo i 'chwedl', gyda'r ddelwedd a luniwyd o'r digwyddiadau ymhell o fod yn ymdebygu i'r gwir. O fewn y fath bersbectif, tyfodd achos Galileo yn arwydd o wrthodiad honedig yr Eglwys o ddatblygiad gwyddonol, neu o dywyllwch athrawiaethol a oedd yn elyniaethus i unrhyw ymchwil am y gwirionedd. Cyfrannodd y chwedl hon yn sylweddol i'n diwylliant. Cynorthwyodd hefyd i wthio nifer o wyddonwyr o ffydd tuag at y cysyniad bod anghydnawsedd rhwng y ddelfryd wyddonol a'i rheolau ymchwil ar yr un llaw, a ffydd Gristnogol ar y llall. Dehonglwyd y methiant trasig i ddeall ei gilydd fel adlewyrchiad o wrthdrawiad sylfaenol rhwng gwyddoniaeth a ffydd. Caniatâ'r astudiaethau hanesyddol diweddaraf i ni ddatgan bod y camddeallltwriaeth trist hwn bellach yn perthyn i'r gorffennol.[5] Yn 2008, codwyd cerflun er cof am Galileo Galilei oddi fewn i furiau'r Fatican yn Rhufain yn arwydd fod damcaniaeth Galileo wedi ennill ei phlwyf, hyd yn oed yn niwinyddiaeth a thraddodiad yr Eglwys Gatholig Rufeinig, rhyw-beth a oedd eisoes wedi digwydd yn niwinyddiaeth y prif draddodiadau Cristnogol eraill byd-eang.

Yng ngoleuni'r ddeallltwriaeth wyddonol hon o symudiadau a chydberthynas y planedau a'r sêr, codwyd y cwestiwn: pa rymoedd sydd ar waith yn cadw'r bydysawd mewn bod? Gwnaeth Isaac Newton (1642–1727) ddau gyfraniad cysylltiedig allweddol i wyddoniaeth. Yn gyntaf, trwy'r Deddfau Mudiant a luniodd, sefydlwyd yr egwyddorion cyffredinol a oedd yn rheoli mudiant daearol, yn seiliedig ar gyflymiad, grym, momentwm a chyflymder. Deil y rhain yn gwbl sylfaenol hyd heddiw. Dadleuodd wedyn fod y deddfau hyn yn berthnasol hefyd i fudiant a mecaneg cyrff yn y ffurfafen. Yn 1609 ac 1619 cyhoeddodd Johannes Kepler (1571–1630) ddeddfau yn ymwneud â mudiant planedau; roedd y rhain eto yn herio modelau daear-ganolog Ptolemy ac yn cefnogi damcaniaeth haul-ganolog Copernicus.[6] Ynghyd â honni bod y Ddaear yn cylchdroi o amgylch yr Haul, gellid hefyd eu defnyddio i brofi bod cyflymder y planedau yn amrywio ac mai eliptig oedd eu taith orbitol. Dangosodd Newton sut y gellid esbonio deddfau mudiant y planedau ar y sail mai'r grym sy'n tynnu gwrthrychau tuag at y Ddaear sydd hefyd yn dal y planedau yn eu cylchdroeon o amgylch yr Haul, egwyddor a oedd yn dal ei thir mewn perthynas â'r holl blanedau.[7] Cafodd y ddeddf hon ei hadnabod fel Deddf Disgyrchiant Cyfanfydol (*Universal Law of Gravity*). Fe'i cyhoeddwyd yn gyntaf yn 1687 yng nghyfrol Newton, *Philosophiæ Naturalis Principia Mathematica* (Egwyddorion Mathemategol Athroniaeth Naturiol). Y mae'r ddeddf hon yn datgan fod y grym sy'n denu unrhyw ddau wrthrych yn y bydysawd at ei gilydd yn uniongyrchol gymesur â chynnyrch eu màs ac mewn cyfrannedd gwrthdro â'r pellter rhyngddynt.

Canlyniad mabwysiadu'r egwyddorion hyn oedd y gellid gweld y bydysawd fel peiriant mawr, yn gweithredu yn unol â deddfau gosodedig. Dyma'r byd-olwg mecanyddol. Y mae goblygiadau diwinyddol hyn yn amlwg: os oes peiriant, rhaid bod cynllun. Os oes cynllun, rhaid bod cynllunydd gyda bwriad. Yn ôl yr offeiriad a'r apolegydd William Paley (1743–1805), gallwn edrych ar gywreinrwydd rhyfeddol gwneuthuriad cymhleth yr oriawr a sylweddoli fod ei ryfeddod a'i effeithiolrwydd yn wyrth. Credai Paley nad oedd esboniad i hyn heblaw bod cynllunydd deallus a chywrain y tu cefn i'r ddyfais hon. Os oedd cread, rhaid oedd wrth Grëwr.[8]

Fodd bynnag, roedd y ddealltwriaeth Newtonaidd, tra'n caniatáu lle i Grëwr yn unol â'r athrawiaeth Gristnogol, yn awgrymu bydysawd mecanyddol, sef, bydysawd a oedd wedi'i greu ond a oedd yn parhau mewn bodolaeth heb ymyrraeth Crëwr. Deïstiaeth yw hyn, sef, y gred fod Duw wedi creu'r bydysawd ond ei fod yn gadael y bydysawd i'w rawd heb ymyrryd ynddo na bod yn bresennol ynddo. Y gwrthwyneb i'r gred hon yw theistiaeth, sy'n honni bod Duw wedi creu'r bydysawd a'i fod ar waith o hyd yn ei gynnal a'i ddwyn i'w gyflawnder. Beirniadwyd deïstiaeth am wneud Duw yn ddim mwy na gwneuthurwr cloc.

Yn wyneb hyn, erbyn y bedwaredd ganrif ar bymtheg, y cwestiwn allweddol oedd: os gellir cau Duw allan o beirianwaith y bydysawd onid oes lle i Dduw o hyd yng nghynllun a gweithgarwch byd bioleg? Sut y daeth bywyd ar y blaned hon i gymryd y ffurf sydd iddo? Y ddau berson allweddol mewn perthynas â'r datblygiadau hyn oedd Charles Darwin (1809–82) ac Alfred Russel Wallace (1823–1913).

Cyn i Darwin, Wallace ac eraill gyflwyno'u damcaniaethau, roedd dau brif ateb i'r cwestiwn hwn. Yr ateb cyntaf oedd unffurfiaeth (*uniformity*) a ddatblygwyd yn bennaf gan James Hutton (1726–97) a Charles Lyell (1797–1875). Sail y ddamcaniaeth hon oedd bod yr un grymoedd a welir yn awr ar waith yn naeareg a bioleg y bydysawd wedi bod yn weithredol yn y byd naturiol drwy gydol oesau hir y gorffennol. Yn aml, crynhoir y ddamcaniaeth hon fel hyn: y presennol yw'r allwedd i'r gorffennol. Yr ail ateb oedd Sefydlogrwydd Rhywogaethau (*Fixity of Species*) sydd yn ddyledus yn bennaf i'r naturiaethwr Swedaidd, Carl von Linne (sy'n fwy adnabyddus fel Linnaeus; 1707–78). Yn y ddamcaniaeth hon mae amrywiaeth presennol byd natur yn cynrychioli patrwm rhywogaethau'r gorffennol a'r modd y byddant yn parhau i fodoli yn y dyfodol. Hynny yw, dadleuai Linnaeus, yn wreiddiol, fod natur yn ddigyfnewid o foment ei darddiad ac nad oedd rhywogaethau newydd. Fodd bynnag, fe newidiodd ei feddwl yn ddiweddarach yn ei fywyd a chasglu, o ganlyniad i'w astudiaethau ar blanhigyn arbennig, fod rhywogaethau newydd wedi dod i fod drwy groesiadau rhwng rhywogaethau a grëwyd gan Dduw: 'Y mae'n amhosibl amau fod rhywogaethau newydd yn cael eu cynhyrchu drwy ymgenhedlu hybrid.' O ganlyniad dileodd ei *fandra* hir-dymor, *Nullae species novae* (Dim rhywogaethau newydd), o'r deuddegfed argraffiad o'i *Systema Naturae* (1766).[9]

Mae'n amlwg fod y ddau ateb hyn yn cydweddu'n dda â'r ddealltwriaeth draddodiadol a phoblogaidd o storïau'r creu yn Genesis: gellid ystyried bod ffurfiau'r bydysawd a phob rhywogaeth wedi eu creu'n benodol gan Dduw. Fodd bynnag, roedd problemau gyda'r esboniad hwn. Y mae'n amlwg fod angen i unrhyw ddamcaniaeth am darddiad rhywogaethau esbonio nifer o nodweddion. Y cyntaf yw Addasiad, sef, y modd y mae ffurfiau gwahanol wedi'u haddasu i'w hamgylchfyd a'u hanghenion. Yr ail yw Diflaniad Rhywogaethau: pam y diflannodd rhai rhywogaethau a oedd wedi eu haddasu? Y trydydd yw Dosbarthiad Daearyddol Anghyson: pam bod rhai rhywogaethau i'w gweld mewn rhannau arbennig o'r blaned ond nid mewn mannau eraill? Yr olaf yw Strwythurau Gweddilliol: pam bod rhai organau'n parhau mewn ffurfiau gweddilliol er nad oes ganddynt unrhyw ddiben?

O ganlyniad i'w deithiau a'i ymchwil manwl ac enwog, aeth Darwin ati i gynhyrchu esboniad a oedd yn rhoi cyfrif am yr arsylwadau hyn. Dadleuodd dros ddethol naturiol yn ei waith creiddiol, *On the Origin of Species by Means of Natural Selection.* Y mae amrywiaethau'n codi oddi fewn i natur. Os yw'r amrywiaeth newydd yn fwy abl i oroesi i'r dyfodol, y mae'r ffurf yn parhau, a'i nodweddion yn cael eu trosglwyddo i'r cenedlaethau sy'n dilyn. Dyma broses dethol naturiol a goroesiad y mwyaf addas (*the survival of the fittest*). Y ddwy egwyddor hyn yw sylfaen Damcaniaeth Darwin. Y mae pob rhywogaeth – yn cynnwys dynolryw – yn ganlyniad proses hir a chymhleth o esblygiad biolegol, term a ddefnyddiwyd yn wreiddiol yn y cyd-destun hwn yn 1762 gan Charles Bonnet (1720–93) ac a ddefnyddiwyd unwaith yn unig gan Darwin ei hunan ar ddiwedd ei *Origin of Species* i ddisgrifio'i ddamcaniaethau.

Ganed Wallace, a luniodd ddamcaniaeth detholiad naturiol yn annibynnol ar Charles Darwin, ym Mrynbuga. Yn 1848 cychwynnodd ar daith i Dde America gyda'i gyfaill o gyd-naturiaethwr, Henry Walter Bates (1825–92). Ffrwyth ei gyfnod o bedair blynedd yno oedd *Palm Trees of the Amazon and their Uses* (1853) ac *A Narrative of Travels on the Amazon and Rio Negro* (1853). Rhwng 1854 ac 1862 bu yn y Dwyrain Pell, yn Archipelago Maleia. Tra bu yno lluniodd ei ddamcaniaeth esblygiad, yn gyfamserol ag eiddo Charles Darwin ond yn annibynnol arni. I sicrhau na fyddai Darwin yn dod yn ail yn y 'ras' esblygiadol, trefnodd dau o'i gyfeillion (Lyell yn un ohonynt) i'r ddau fersiwn o'r ddamcaniaeth gael eu cyflwyno yn yr un cyfarfod o'r Gymdeithas Lineaidd ar 1 Gorffennaf 1858.[10] Cyhoeddodd Wallace ei syniadau yn ei lyfr *Contributions to the Theory of Natural Selection* (1870). Cyfraniad mawr arall Wallace oedd ei waith bioddaearyddol a grynhowyd yn ei ddau lyfr *The Geographical Distribution of Animals* (1876) ac *Island Life* (1880). Sonnir amdano weithiau fel 'Tad Bioddaearyddiaeth' ac mewn teyrnged iddo yn y maes hwn fe gyfeirir o hyd at y *'Wallace Line'* yn nwyrain Asia – y llinell ddychmygol a ddynodwyd gan Wallace i wahaniaethu rhwng rhywogaethau 'Awstralaidd' a rhai 'Asiaidd'.

Y mae goblygiadau diwinyddol y damcaniaethau hyn yn amlwg a buont, fel sy'n ddigon hysbys, yn achos cweryla enfawr.[11] Yn draddodiadol, dysgai Cristnogaeth fod dynolryw wedi ei neilltuo oddi wrth rywogaethau eraill, yn uchafbwynt bwriadau'r Crëwr ac yn dwyn delw Duw. Roedd damcaniaethau Darwin a Wallace, ar y llaw arall, yn dal fod dynolryw, fel rhywogaethau eraill, wedi ymddangos yn raddol ac nad oedd unrhyw wahaniaeth biolegol sylfaenol rhyngom a'n hynafiaid agosaf, yr epaod. Canlyniad hyn oedd dadlau ffyrnig. Afraid dweud bod y dadleuon hyn yn dal yn hyfyw a hynny ar seiliau nid annhebyg i eiddo'r bedwaredd ganrif ar bymtheg, sef, sut y mae cysoni damcaniaethau esblygiad bywyd â chred yn awdurdod y Beibl ac athrawiaeth llythrenolrwydd?[12]

7

Yn y tri achos hyn bu dadleuon mawr rhwng gwyddoniaeth, diwinyddiaeth draddodiadol ac egwyddorion esboniadaeth feiblaidd. Yn y tri achos, ar waethaf y dadleuon, fe addaswyd diwinyddiaeth er mwyn ei chymhwyso, yn hwyr neu'n hwyrach, i ddamcaniaethau a oedd yn wyddonol dderbyniol. Datblygodd diwinyddiaeth mewn ymateb i gynnydd mewn gwybodaeth wyddonol. Nid oedd pawb ac nid yw pawb yn derbyn y damcaniaethau gwyddonol. Fodd bynnag, yn wyneb y dadlau chwyrn a fu mewn perthynas â gwaith Galileo yn yr unfed ganrif ar bymtheg, y mae o'r arwyddocâd mwyaf fod y Catecism Catholig diweddaraf (1992), er enghraifft, yn cadarnhau pwysigrwydd y datblygiadau hyn:

> Bu'r cwestiwn am darddiadau'r byd a'r ddynolryw yn wrthrych nifer o ymchwiliadau gwyddonol sydd wedi cyfoethogi'n gwybodaeth am oed a maint y cosmos, datblygiad ffurfiau bywyd ac ymddangosiad y ddynolryw. Y mae'r darganfyddiadau hyn yn ein gwahodd i edmygedd mwy fyth o fawredd y Crëwr, ac yn ein cymell i roi diolch am ei holl waith ac am y ddealltwriaeth a'r ddoethineb y mae'n eu rhoi i ysgolheigion ac ymchwilwyr.[13]

Etifeddodd yr ugeinfed ganrif yr holl chwyldro hwn ond creodd ei chwyldro dramatig ei hun yn ogystal. Er enghraifft, bu Damcaniaeth Cwantwm yn chwyldroadol yn ei dylanwad ar ein dealltwriaeth o natur mater ac atomau. Ni ellir mwy (fel y credwyd yn nechrau'r ugeinfed ganrif) wneud modelau dilys a digonol o strwythurau atomig na rhagweld eu hymddygiad mewn modd absoliwt. Y mae Damcaniaeth Ansicrwydd yn codi nifer o gwestiynau diwinyddol sylfaenol, megis am le rhagluniaeth a llywodraeth Duw mewn byd o ansicrwydd.

Datblygwyd Damcaniaeth Perthnasolrwydd gan un o wyddonwyr enwocaf a mwyaf dylanwadol y ganrif, Albert Einstein (1879–1955). Cynigiodd ddwy ddamcaniaeth a drawsnewidiodd ein dealltwriaeth o brosesau'r bydysawd. Yn ôl Perthnasolrwydd Arbennig, damcaniaeth a gyflwynodd pan oedd yn 26 mlwydd oed, y mae cyflymdra goleuni yn gyson a digyfnewid. Golygai hyn fod dau fframwaith cyfeiriadol i bob digwyddiad a bod dau ddigwyddiad yn gydamserol mewn un fframwaith ond nid yn y llall. Roedd hyn yn wir hefyd am hyd a màs. Yn yr ail ddamcaniaeth, Perthnasolrwydd Cyffredinol, a gyflwynodd ddeng mlynedd yn ddiweddarach, ymestynnwyd y ddamcaniaeth gyntaf drwy gynnwys nid yn unig màs, hyd a chyflymdra ond disgyrchiant hefyd. Daeth i'r casgliad fod grym disgyrchiant yn plygu gofod-amser.

Roedd y ddamcaniaeth hon yn rhagfynegi bodolaeth tonnau disgyrchol sy'n ganlyniad digwyddiadau cosmig grymus sy'n plygu gofod-amser ond ar y pryd nid oedd unrhyw dystiolaeth o fodolaeth y tonnau hyn. Fodd bynnag, yn Chwefror 2016 cyhoeddwyd fod Arsyllfa LIGO (*The Advanced Laser Interferometer Gravitational-Wave Observatory*) wedi canfod 'sŵn' y tonnau hyn (sy'n ymdebygu i drydar aderyn) a bod hyn yn dystiolaeth o fodolaeth tonnau disgyrchol ac yn brawf fod yr hyn a ragfynegwyd gan Einstein yn gywir.[14] Disgrifiwyd y darganfyddiad hwn gan un gohebydd fel hebryngydd cyfnod newydd mewn astudiaethau cosmolegol sydd mor arwyddocaol â'r defnydd cyntaf o'r telesgop gan Galileo.[15]

Un o'r prif gasgliadau sy'n deillio o Ddeddf Perthnasolrwydd Cyffredinol Einstein yw bod y bydysawd yn ehangu. Os ydyw'n ehangu, dechreuodd mewn moment unigol a bu'n ehangu byth wedyn. Felly, y mae cosmolegwyr yn sôn am y Glec Fawr yn dod â'r bydysawd i fodolaeth ar y pwynt unigoliaeth (*point of singularity*) sy'n cael ei ddyddio ar hyn o bryd tua 13.8 biliwn mlynedd yn ôl.[16] O ganlyniad i'r darganfyddiad am donnau disgyrchol mae mwy o sicrwydd fod y bydysawd yn ehangu a'i bod yn bosibl bellach i fesur cyflymdra'r ehangu hwn yn fwy cywir. Bydd yn rhaid ystyried a yw'r damcaniaethau hyn yn fygythiad i gred Gristnogol mewn Duw ai peidio.

Un o ddarganfyddiadau pwysicaf yr ugeinfed ganrif oedd deall strwythur cemegol Asid Diocsiriboniwcleig (DNA). Beth sy'n rheoli patrymau bywyd ar y Ddaear ac yn galluogi trosglwyddiad nodweddion o un genhedlaeth i'r llall? Yr ateb yw DNA. Darganfuwyd ei strwythur gan James Watson (1928), Francis Crick (1916–2004) a Maurice Wilkins (1916–2004) yn 1953.[17] Gwnaeth Rosalind Franklin (1920–58) hefyd gyfraniad nodedig at y gwaith – na chafodd ei gydnabod na'i wobrwyo fel y dylai – trwy ei datblygiad o dystiolaeth gristalograffig o'r moleciwl.[18] Y mae DNA – sy'n unigol i bob rhywogaeth ac yn neilltuol i bob anifail a phlanhigyn oddi fewn i bob rhywogaeth – yn rheoli popeth byw. Y mae'r cwestiynau diwinyddol yn amlwg: os mai DNA sy'n rheoli, a oes lle i bwrpas terfynol neu ddwyfol i fywyd a byd, yntau hap a damwain yw'r cyfan? Os yw DNA yn rheoli, a ydym ni'n rhydd?

Felly, cyfyd cwestiynau hollbwysig i ffydd Gristnogol ac i ddynolryw yn gyffredinol yn sgil y datblygiadau chwyldroadol hyn. Yn y cyfnod ers 1953 – pan gyhoeddwyd strwythur cemegol DNA – bu datblygiadau chwyldroadol eraill, wrth gwrs, mewn meysydd megis technoleg cyfathrebu, nanowyddoniaeth, bio-meddygaeth, tonnau disgyrchol a gwyddoniaeth y gofod. Nid llyfr ar wyddoniaeth yw hwn. Felly, ni allwn ymdrin yn fanwl â'r datblygiadau hyn. Yn y penodau sy'n dilyn ystyrir y modd y mae damcaniaethau ffisegol a chosmolegol am darddiadau a gwneuthuriad y bydysawd a'r byd naturiol yn codi cwestiynau am agweddau traddodiadol ar ddiwinyddiaeth y creu, am y modd y mae dealltwriaeth fiolegol yn herio rhai o'n rhagdybiaethau traddodiadol am fywyd ac am y natur ddynol, ac am y modd y mae'r datblygiadau ym myd meddygaeth ac amaeth, ynghyd ag effeithiau newid hinsawdd, yn rhoi byd olwg gwahanol ac yn codi cwestiynau newydd. A yw'r damcaniaethau hyn yn tanseilio ffydd yn Nuw neu a ydynt yn herio Cristnogion i ailfeddwl beth a olygir pan gyffesir, Credwn yn Nuw? Dyma'r cwestiwn y bydd y bennod olaf, yn fwyaf arbennig, yn ei ystyried. Ond yn gyntaf rhaid ystyried seiliau athronyddol gwyddoniaeth a diwinyddiaeth.

2

Gwyddoniaeth a Diwinyddiaeth: Rhai Seiliau Athronyddol

Cyn mentro i feddwl am berthynas gwyddoniaeth â'r meddwl Cristnogol rhaid ystyried rhai cwestiynau canolog. Yn eu plith y mae'r canlynol: beth yw amcanion gwyddoniaeth a diwinyddiaeth? Beth yw rhagdybiaethau sylfaenol gwyddoniaeth a diwinyddiaeth? Beth yw dulliau gweithredu gwyddoniaeth a diwinyddiaeth? Beth yw canlyniadau gwyddoniaeth a diwinyddiaeth? Pwy sy'n 'gwneud' gwyddoniaeth? Pwy sy'n 'gwneud' diwinyddiaeth?

Natur gwyddoniaeth

Man cychwyn gwyddoniaeth gyfoes (hynny yw, y math ar wyddoniaeth a ddatblygodd ers yr unfed ganrif ar bymtheg) yw arbrofi sy'n anelu at gasglu tystiolaeth empeiraidd. Amcan hynny yw llunio damcaniaeth neu ddamcaniaethau sy'n esbonio'r agweddau ar natur y bydysawd sy'n cael eu hastudio. Hanfod y broses wyddonol yw cadarnhau'r damcaniaethau hyn ar sail arbrofion pellach, neu eu haddasu neu eu gwrthod a chynnig damcaniaethau sy'n rhoi esboniad neu esboniadau mwy derbyniol o'r dystiolaeth empeiraidd ddiweddaraf.

Dylid nodi rhai nodweddion hanfodol yn y broses hon. Y mae arbrofi yn ganolog. Ni ellir llunio damcaniaeth oni bai fod tystiolaeth empeiraidd wedi ei chasglu y gellir seilio damcaniaeth arni. Yn ail, dylid sylwi nad yw unrhyw ddamcaniaeth yn derfynol. Y mae damcaniaeth yn dal yn ddilys dim ond i'r graddau y mae'n dal i gynnig yr esboniad sy'n fwyaf cyson â'r dystiolaeth sydd ar gael ar y pryd. Pan ddaw gwybodaeth newydd i'r golwg, dichon y bydd angen naill ai addasu'r ddamcaniaeth neu lunio damcaniaeth newydd. Proses ddeinamig ydyw, felly, sy'n gofyn am barodrwydd i addasu a datblygu'r ddealltwriaeth o'r bydysawd wrth i'r wybodaeth amdano gynyddu. Dylid bod yn ofalus, felly, i osgoi defnyddio termau fel 'y ffeithiau gwyddonol' gan nad yw damcaniaethau yn ffeithiau terfynol a digyfnewid. Felly, yn drydydd, nid yw unrhyw wyddonydd yn gweithio'n ynysig gan fod ymateb (cadarnhaol neu negyddol) y gymuned wyddonol yn hanfodol i'r broses ddeinamig hon.

O ystyried y broses hon, dylid nodi rhai egwyddorion ac ymagweddau sylfaenol. Yn gyntaf, ni ellir gwahanu damcaniaeth ac arbrawf. Wrth edrych ar y byd, y mae gwyddonwyr bob amser yn edrych drwy lygaid pobl a edrychodd arno yn y gorffennol yn ogystal â'u llygaid eu hunain. Fel yr ysgrifennodd Newton at Robert Hooke yn 1676, 'Os gwelais ymhellach nag eraill, mae hyn am fy mod yn sefyll ar ysgwyddau cewri.'[1] Y maent hefyd yn edrych ar y byd gyda rhagdybiaethau arbennig – eu rhagdybiaethau eu hunain neu ragdybiaethau pobl eraill – am natur yr agwedd arbennig honno ar y bydysawd.

Yn ail, cymylir golwg y sawl sy'n cynnal yr arbrawf gan gymhlethdod yr hyn sy'n digwydd. Gelwir hyn yn 'broblem y cefndir'. Tra bod arbrawf yn anelu at astudio un agwedd arbennig ar realaeth, ni ellir ynysu'r agwedd honno oddi wrth agweddau eraill o'r sefyllfa sydd, fel petai, yn y cefndir. Er enghraifft, ni ellir astudio'r modd y mae un cemegyn yn effeithio ar brosesau cymhleth yr ymennydd heb fod yn ymwybodol fod nifer helaeth o gemegau eraill ar waith yn yr un sefyllfa yn cyflawni dibenion gwahanol.

Yn drydydd, amcan damcaniaethau gwyddonol yw gwneud datganiadau am beth sy'n digwydd ym mhob man bob amser. Hynny yw, y mae ganddynt amcanion cyffredinol. Ond y mae'r arbrawf yn gorfod digwydd yng nghyd-destun terfynau penodol. Os edrychwn ar yr un enghraifft: wrth edrych ar y modd y mae cemegyn penodol yn gweithredu yn ymennydd llygoden, dyweder, y gobaith yw bod y nodwedd hon yn gyffredin, o leiaf, i bob llygoden ac, yn well fyth, i bob mamal. Ond ni ellir dod i'r casgliad hwn gydag unrhyw sicrwydd heb arbrofi pellach. Yn wir, y mae'n dra phosibl nad yw canlyniad yr arbrawf arbennig hwn (na'r ddamcaniaeth a seilir arno) yn gyffredinol wir.

Yn bedwerydd, y mae diwygiadau radical yn digwydd mewn gwyddoniaeth (fel mewn meysydd eraill, wrth gwrs). Disgrifiwyd rhain gan Thomas Kühn fel *paradigm shifts*, hynny yw, diwyg-iadau sylfaenol am natur y bydysawd neu agwedd ohono sy'n trawsnewid y modd yr ydym yn edrych ar y byd ac yn ymateb iddo.[2] Un enghraifft nodedig, y soniwyd amdani eisoes, yw'r symudiad o'r model Newtonaidd o fater i'r model Einsteinaidd ohono. Canlyniad y *shift* hwn oedd hawlio nad oedd yn bosibl bellach i feddwl y gellid deall y bydysawd yn unig mewn termau mecanyddol (megis, y mae'r Achos A yn sicr o gael yr Effaith B). Yn hytrach, y mae ansicrwydd a pherthynolaeth yn elfennau cynhenid o realiti fel na ellir bellach fod yn gwbl sicr bod achos penodol yn debygol o gael yr un effaith ar bob cyfle ac ym mhob amgylchiad. Canlyniad y *shift* hwn, a rhai tebyg iddo, yw na all gwyddoniaeth hawlio ei bod wedi dod o hyd i'r gwirionedd terfynol. Y mae'n rhaid bod yn agored bob amser i'r posibilrwydd y caiff byd-olwg a dderbynnir yn gyffredinol ymhlith gwyddonwyr heddiw ei herio a'i ddiwygio gan dystiolaeth newydd neu gan ddehongliad newydd o hen dystiolaeth a ddaw i'r golwg yn y dyfodol.

Yn olaf, ni phenderfynir darganfyddiadau gan amlaf gan yr hyn y mae'r gymuned wyddonol yn ei ddymuno na'i ddisgwyl. Y mae'r hyn a ddarganfyddir o ganlyniad i arbrawf neu astudiaeth arbennig yn aml yn wahanol i'r hyn a ddisgwylir. Felly, rhaid newid y ddamcaniaeth yr aethpwyd ati i'w hastudio fel ei bod yn gyson â'r dystiolaeth gyfredol. Yn aml, y mae'r canlyniad hwn yn syndod i'r gymuned wyddonol. Y mae natur yn ymddwyn mewn modd annisgwyl na ellir bob amser ei ragweld.

Natur diwinyddiaeth[3]

Amcan diwinyddiaeth yw ymholi am Dduw ac, i'r mwyafrif o Gristnogion, y Duw sy'n awdur a chynhyrchydd y ddrama gosmig. Y mae'r Duw hwn yn rhan o bopeth sy'n digwydd ond ddim o angenrheidrwydd (er y byddai hyn yn fater o ddadlau brwd mewn rhai cylchoedd) yn achos popeth sy'n digwydd.

Y mae George Lindbeck (1923) yn awgrymu tair ymagwedd at ddiwinyddiaeth.[4] Yn gyntaf, ceir yr agwedd ddeallusol (*cognitive* yw term Lindbeck). Y mae diwinyddiaeth yn ddatganiad neu'n gyfres o ddatganiadau neu osodiadau am Dduw sy'n tarddu o hunan-ddatguddiad grasol Duw, wedi eu diogelu mewn Ysgrythur a thraddodiad Cristnogol, ac wedi eu trosglwyddo o genhedlaeth i genhedlaeth. Gwêl Polkinghorne gyffelybiaeth yn hyn o beth i agweddau 'gwyddonol' cyn bod pwysigrwydd y berthynas rhwng arbrawf a damcaniaeth wedi ei datblygu, i raddau helaeth yn ystod Oes yr Ymoleuo.

Perygl agwedd Lindbeck yw bod yn rhy hunan hyderus yn y modd y siaredir am Dduw heb gydnabod, er enghraifft, nad yw ei seiliau Ysgrythurol yn ystyried yn ddigonol 'ei fod yn cynnwys deunydd sydd wedi ei angori ym meddylfryd yr oes pan gafodd ei ysgrifennu yn ogystal â deunydd sy'n codi uwchlaw'r cyfyngiadau diwylliannol hynny'.[5]

Yr ail agwedd a drafodir gan Lindbeck yw'r profiadol-fynegol (*experiential-expressive* yw ei derm ef). Sail yr agwedd hon yw bod i ddiwinyddiaeth ddimensiwn personol anhepgorol sy'n ymwneud â gwerthoedd ('cyfarfod gyda "thydi"'). Nid gosodiad gwrthrychol yw 'cariad yw Duw' ond mynegiant o brofiad personol, fy mhrofiad i a phrofiad eraill sydd wedi dylanwadu arnaf fi. Nid mater o osodiad gwrthrychol ond o berthynas gariadus, felly, yw dweud 'cariad yw Duw'. Y mae hyn yn wahanol i'r agwedd wyddonol nad yw'n ddibynnol ar brofiad personol ond ar dystiolaeth wrthrychol y mae'n rhaid ei chadarnhau a'i hail-greu gan wyddonwyr eraill sy'n fwriadol yn cynnal arbrawf neu arbrofion penodol er mwyn profi neu gwrthbrofi damcaniaeth.

Perygl yr agwedd hon, yn ôl Polkinghorne, yw bod diwinyddiaeth (a Christnogaeth, o ganlyniad) yn medru datblygu'n foesegi sentimental, ac yn dibynnu'n ormodol ar brofiad Cristnogol.

Y drydedd agwedd yw'r ddiwylliannol-ieithyddol. 'Y mae diwinyddiaeth yn cynnig fframwaith y gallwn fyw ein bywydau oddi mewn iddo a'r persbectif y dylem ei ddefnyddio i werthuso'n profiad . . . Y mae crefydd yn cynnig inni gymuned gyda phatrwm byw cyffredin' sy'n derbyn mai fel hyn y mae pethau.[6] Y mae gwyddoniaeth gyfoes, fodd bynnag, bob amser yn gorfod bod yn agored i gael hoff ddamcaniaethau wedi eu trafod a'u herio, a'u newid yn unol â thystiolaeth newydd. Ni fedr gwyddonwyr ddibynnu ar y traddodiad gwyddonol.

Y mae'r tair agwedd hyn i'w canfod ymhlith credinwyr Cristnogol heddiw. Fodd bynnag, nid dyma'r unig fframwaith ar gyfer deall natur diwinyddiaeth. Y mae John Habgood, er enghraifft, yn dyfynnu J. R. Carnes sy'n gwahaniaethu rhwng diwinyddiaeth ddogmatig a diwinyddiaeth apologetaidd.[7] Y mae'n disgrifio'r naill fel system ddiwinyddol gyflawn sy'n defnyddio nifer cyfyngedig o syniadau er mwyn cyflwyno cyfanrwydd y ffydd Gristnogol mewn cyfres o ddatganiadau athrawiaethol Cristnogol. Mae'n honni bod y llall yn dechrau gyda phrofiad person, yn ceisio cysoni profiad Cristnogol â gweddill profiad, yn ceisio esbonio safbwyntiau Cristnogol mewn termau cyfoes ac yn ceisio dyfalu sut y byddai'r meddwl a'r diwylliant cyfoes yn gwrthwynebu'r syniadau Cristnogol hyn.

Yn wyneb hyn oll, sut mae deall y berthynas rhwng gwyddoniaeth a diwinyddiaeth, neu grefydd? Y mae Barbour yn categoreiddio cymhlethdodau cydberthynas crefydd a gwyddoniaeth mewn cynllun sydd bellach wedi dod yn fodel clasurol.[8] Argymhellodd deipoleg o bedwar categori. Disgrifiodd y cyntaf yn nhermau *gwrthdaro*. Yma y mae crefydd mewn gwrthdrawiad ag egwyddorion a methodoleg gwyddoniaeth. Ei ail gategori oedd *annibyniaeth*. Gall gwyddoniaeth a chrefydd gyd-fyw dim ond iddynt gydnabod eu bod yn ymwneud ag agweddau gwahanol ar fywyd ac yn defnyddio mathau gwahanol o iaith i ateb cwestiynau gwahanol. Y trydydd categori oedd *deialog*. Y mae dealltwriaeth Barbour o ddeialog yn cydnabod fod gan wyddoniaeth a chrefydd eu hunaniaeth arbennig eu hunain a'u bod yn gyffredinol yn ateb cwestiynau gwahanol, ond y mae'n mynnu hefyd bod cysylltiadau a rhyngweithio creadigol a chyfoethog yn bosibl rhyngddynt. Gall gwyddoniaeth arwain at gwestiynau y gall crefydd gyfrannu at eu hateb, a gallai hyn arwain at ddealltwriaeth lawnach o'r hyn y mae crefydd yn ei honni. Yn olaf, awgrymodd Barbour *integreiddio* fel disgrifiad o'r berthynas agosaf sy'n bosibl rhwng crefydd a gwyddoniaeth. Rhagwelai y gallai diwinyddiaeth gael ei hailddehongli yng ngoleuni gwybodaeth wyddonol newydd ac y gellid integreiddio'r ddealltwriaeth wyddonol yn llawnach â ffyrdd diwinyddol ac athronyddol o feddwl. Bydd yr amlinelliad canlynol o ymatebion traddodiadau Cristnogol gwahanol yn enghreifftio'r categorïau hyn yn ogystal â dangos sut y mae Cristnogion a thraddodiadau Cristnogol wedi symud o bryd i'w gilydd o un categori o ymateb i un arall.

Y mae Polkinghorne yn awgrymu addasiad o'r ddau gategori olaf yn nhermau cydweddiad a chymhathiad. Y mae cydweddiad rhwng y ddwy ddisgyblaeth yn cadw eu hunaniaeth ond yn cydnabod fod cymod yn bosibl mewn rhai meysydd cyffredin tra bod cymhathiad yn anelu at gyfuniad mor gyflawn â phosibl rhwng gwyddoniaeth a diwinyddiaeth.

Cyflwyna Polkinghorne ei safbwynt ef fel hyn: yn gyntaf, nid oes gan wyddoniaeth ffordd freiniol tuag at wybodaeth drwy ryw ddull gwyddonol rhagorach.[9] Yn ail, nid oes gan ddiwinyddiaeth ffordd freiniol tuag at wybodaeth drwy ryw ffynhonnell gyfrin o ddatguddiad di-gwestiwn. Yn drydydd, y mae'r naill ddisgyblaeth a'r llall yn ceisio ymafael yn arwyddocâd eu hymwneud ag amrywiaeth realiti; realiti'r byd materol yn achos gwyddoniaeth a realiti'r Duw trosgynnol y down wyneb yn wyneb ag ef mewn arswyd ac ufudd-dod, yn achos diwinyddiaeth. Felly, gan mai ffyrdd gwahanol o edrych ar yr un realiti yw gwyddoniaeth a diwinyddiaeth Gristnogol, nid oes gwrthdaro rhyngddynt. Yn wir, y mae'r naill yn medru taflu goleuni ar y llall ac felly maent yn cydweddu â'i gilydd.

Dyma safbwynt sydd yn hollol i'r gwrthwyneb i safbwynt gwyddonwyr megis Dawkins sy'n honni nad oes modd barnu gwirionedd unrhyw realiti ond drwy brofion empeiraidd gwyddoniaeth. Os nad yw gwyddoniaeth yn medru profi honiad, nid yw'n wir. Nid yw gwyddoniaeth yn medru profi gwirionedd daliadau crefyddol. Felly, yn ôl y safbwynt hwn, ni allant fod yn wir.

Dengys y drafodaeth uchod nad yw'r honiad fod gwyddoniaeth ynglŷn â ffeithiau, a chrefydd neu ddiwinyddiaeth ynglŷn â ffydd yn dderbyniol. Nid yw'r berthynas rhwng y disgyblaethau hyn mor syml ac uniongyrchol â hynny. Yn ôl Polkingohorne, 'Ni all gwyddoniaeth na diwinyddiaeth roi cyfrif eglur a ffeithiol o realiti anweledig (er enghraifft, cwarciau neu Dduw) y mae angen i'r ddau sôn amdanynt . . . Y mae'n rhaid i wyddoniaeth a diwinyddiaeth ddefnyddio adnoddau cyfatebiaeth (*analogical*) yn eu trafodaethau . . .'[10]

Model a realaeth mewn gwyddoniaeth a diwinyddiaeth

Un agwedd hollbwysig ar y drafodaeth hon yw'r defnydd a wneir o fodelau yn y ddwy ddisgyblaeth dan sylw. Y mae gwyddoniaeth yn gwneud defnydd helaeth o fodelau. Cymerwch, fel enghraifft, y model o'r atom a ddefnyddid yn gyffredinol hanner can mlynedd yn ôl. Roedd iddo gnewyllyn canolog a oedd yn gasgliad o ronynnau positif a niwtral. Dyma a roddai ei bwysau i'r atom. O'i gwmpas yr oedd cyfres o 'gylchoedd' (orbitau) gyda niferoedd priodol o electronau negyddol. Y cydbwysedd neu'r anghyfartaledd trydanol rhwng y gronynnau positif yn y cnewyllyn a'r electronau negyddol yn y cylchoedd oedd y ffactor allweddol wrth geisio esbonio'r modd yr oedd yr atom neu'r moleciwl yn adweithio ag atomau neu foleciwlau eraill. Erbyn hyn y mae'r model hwn o'r atom yn annigonol ac y mae mwy i'w ddweud am wneuthuriad yr atom nag a ellir ei gyfleu yn y model gôr-syml hwn. Er hynny, y mae agweddau ar y model yn dal i fod yn ddefnyddiol wrth inni geisio cynnig esboniad elfennol o hanfodion adweithiau cemegol.

Y mae amrywiol ddiffiniadau o'r model gwyddonol wedi ei gynnig. Yn ôl Barbour, offer cyfatebiaeth (*analogical tools*) ydynt a ddefnyddir i ddeall agweddau ar realiti.[11] Yn ôl Polkinghorne, 'Llunnir model drwy grynhoi o sefyllfa gymhleth y nodweddion hynny a dybir sydd o'r arwyddocâd mwyaf yn y broses o greu'r ffenomenau o dan sylw'.[12]

Efallai fod McGrath yn cynnig un o'r diffiniadau mwyaf defnyddiol o fodelau mewn cyd-destun gwyddonol: 'Ffordd syml i gynrychioli system gymhleth yw model, sy'n galluogi defnyddwyr i ddod i ddealltwriaeth lawnach o rai agweddau arni, o leiaf.' Y mae'n nodi chwe phwynt y dylid eu hystyried mewn perthynas â modelau yn y gwyddorau naturiol. Yn gyntaf, y maent 'yn ffyrdd arwyddocaol o ddarlunio ensyniadau cymhleth a haniaethol'. Yn ail, 'cyfryngyddion' (*intermediaries*) ydynt rhwng endidau cymhleth a'r meddwl dynol. Yn drydydd, er nad ydynt 'yn bod' fel hyn o angenrheidrwydd, y mae i'r hyn y maent yn ceisio'i gynrychioli 'fodolaeth real ac annibynnol'. Yn bedwerydd, y maent yn seiliedig ar y gred fod 'agweddau o debygrwydd arwyddocaol rhwng y model a'r realiti y mae'n ceisio'i gynrychioli'. Yn bumed, 'nid ydynt yr un ffunud â'r hyn a gynrychiolant'. Yn olaf, 'nid yw pob agwedd ar y model yn cyfateb o angenrheidrwydd i'r endid sy'n cael ei fodelu'.[13]

Ystyriwn eto'r model syml o'r atom a ddisgrifir uchod, sef, cnewyllyn positif a'r electronau negyddol yn cylchu o'i amgylch. Yr oedd y model hwnnw yn fodd arwyddocaol o ddisgrifio atom. Cydnabyddid ei fod rhy syml ond yr oedd yn fodd effeithiol o ddarlunio agweddau ar realaeth sydd, mewn gwirionedd, yn llawer mwy cymhleth nag a awgrymir gan y model hwn. Ond, yn y modd hwn, y mae'n galluogi'r meddwl dynol i ddeall yn haws yr hyn sy'n digwydd mewn adwaith neu broses gemegol heb inni gael ein twyllo fod y cyfan yn cael ei ddweud na'i ddeall. Cydnabyddir hefyd na fyddem yn gweld atom yn union fel hyn pe baem yn edrych drwy ficrosgop electronig er bod y model yn dal i gynrychioli agweddau ar ymddygiad yr atom dan sylw. Hynny yw, y mae llawer mwy i'w ddweud am yr atom nag a gyfléir gan y model syml hwn ond nid yw hynny'n golygu fod yr hyn a gyfléir gan y model yn anghywir neu'n annerbyniol. Y mae'n golygu fod y model syml, tra'n ddefnyddiol, yn annigonol. Yng ngeiriau cofiadwy Barbour, 'Dylid cymryd modelau o ddifri ond nid yn llythrennol'.[14]

I grynhoi, y mae gwyddoniaeth yn seiliedig ar y dybiaeth fod realiti i'r bydysawd materol ac mewn ffurfiau byw, ac y gellir ei archwilio, ei wylio a'i ddadansoddi gyda golwg ar ei ddeall. Gellir disgrifio rhai agweddau gweladwy ar y realiti hwn mewn ffordd gyffredinol 'fel y maent mewn gwirionedd'. Y mae agweddau eraill na ellir eu gwylio (naill ai'n wirioneddol neu oherwydd cyfyngiadau presennol ar allu dynol a thechnoleg) ac na ellir eu disgrifio ond yn nhermau cyfatebiaeth gan ddefnyddio modelau. Gall modelau ein helpu i ddeall agweddau ar y realiti yr ydym yn ei archwilio ond ni ddylid meddwl eu bod, o angenrheidrwydd, yr un ffunud â'r realiti hwnnw.

Yn awr, rhaid gofyn: a ddefnyddir modelau mewn crefydd a diwinyddiaeth? Yn sicr, y mae crefydd yn defnyddio modelau. Y cwestiwn yw: pa fath o fodelau ydynt? Sut y maent yn cael eu defnyddio ac a ydynt yn gweithredu yn yr un modd â modelau mewn gwyddoniaeth? Y mae Barbour yn honni fod modelau crefyddol yn arwain at gredu sy'n cydberthynu patrymau mewn profiad dynol. Yn benodol, y mae modelau o'r dwyfol yn greiddiol i ddehongli profiad crefyddol. Y maent yn cynrychioli mewn delweddau y nodweddion a'r patrymau o berthyn a bortreadir ar ffurf naratif mewn storïau.[15]

Er enghraifft, y mae Tomos Acwin (1225–74) yn honni y gall fod 'cyfatebiaeth bod [*an analogy of being*]' ac y mae'n dyfynnu Genesis 1:26 ('Gwnawn ddyn ar ein delw, yn ôl ein llun ni') i ddangos fod cyfatebiaeth oddi fewn i adeiladwaith y cread ei hun. Yng ngeiriau McGrath:

> Nid yw diwinyddiaeth yn crebachu Duw i lefel gwrthrych neu fod creedig; nid yw'n gwneud mwy na datgan fod ymdebygrwydd neu gyffelybiaeth rhwng Duw a'r bod neu'r gwrthrych hwnnw, sy'n caniatáu'r (gwrthrych) i weithredu fel arwyddbost at Dduw. Felly gall endid creedig fod yn debyg i Dduw heb fod yr un ffunud â Duw.[16]

Ond sut mae dewis cyfatebiaeth a pha gyfyngiadau a osodir ar ddefnyddio'r gyfatebiaeth? Hynny yw, sut mae penderfynu pa agweddau ar y gyfatebiaeth i'w cymryd o ddifri a pha rai i'w gwrthod? Y mae'r Beibl yn sôn, er enghraifft, am Dduw fel Brenin, Arglwydd, Barnwr a Bugail. Ai disgrifiadau llythrennol yw'r rhain o natur a pherson Duw, neu ai modelau ydynt, sef, darluniau sy'n dynodi rhai nodweddion sy'n ein cynorthwyo i ddeall agweddau ar Dduw ond nad ydynt yn ddisgrifiad llythrennol o Dduw ac nad ydynt ychwaith yn dweud y cyfan sydd i'w ddweud am Dduw? Fel yn achos model gwyddonol, gellir meddwl am y rhain, yng ngeiriau McGrath (uchod) fel 'ffordd syml o gynrychioli (hanfod) cymhleth', sef, hanfod Duw. Felly gallwn ddweud fod Duw, fel

19

Brenin, yn teyrnasu; fel Arglwydd, yn llywodraethu; fel Barnwr yn dyfarnu cyfiawnder; ac fel Bugail, yn arwain, gofalu ac ymgeleddu. Ond y mae i hanfod Duw hefyd agweddau brenhinol, arglwyddiaethol ac ati. Nid cyffelybiaeth sydd yma'n unig: y mae hefyd yn dweud rhywbeth am hanfod Duw heb ddweud rhywbeth llythrennol amdano.

Y mae diwinyddiaeth hefyd yn defnyddio metafforau a ddisgrifiwyd yn y termau canlynol gan McGrath. Y maent yn '(f)odd o sôn am un peth mewn termau sy'n awgrymog o beth arall' neu, mewn geiriau trawiadol o eiddo Nelson Goodman, 'dysgu triciau newydd i hen air'.[17] Cyffelybiaeth yw metaffor ac nid oes yma unrhyw fwriad i fod yn llythrennol am hanfod Duw er bod y metaffor yn cynnig cymorth i ddirnad agwedd neu agweddau ar Dduw. Er enghraifft, meddylier am y geiriau beiblaidd 'fel y mae iâr yn casglu ei chywion felly y mae'r Arglwydd'. Nid oes awgrym yma fod Duw yn 'iâr'. Mynegi a wna'r gyffelybiaeth hon fod y modd y mae Duw'n ymddwyn tuag atom yn debyg, yn cyffelybu, i'r modd y mae iâr yn gofalu am ei chywion.

Mewn geiriau eraill, yn ôl Sally McFague,

> Metaffor yw gweld un peth fel rhywbeth arall, ffugio mai hwn yma yw hwn acw gan nad ydym yn gwybod sut mae meddwl na siarad am hwn yma, felly defnyddiwn hwn acw fel modd o ddweud rhywbeth amdano. Y mae meddwl yn nhermau metaffor yn golygu dirnad llinyn o debygrwydd rhwng dau wrthrych, neu ddigwyddiad annhebyg . . . a defnyddio'r mwyaf cyfarwydd fel modd o siarad am y mwyaf anghyfarwydd.[18]

Yn wyneb y modd y mae gwyddoniaeth a diwinyddiaeth Gristnogol yn defnyddio modelau, a oes gwahaniaethau rhyngddynt? Y mae Barbour yn dadlau fod gan fodelau diwinyddol yr un nodweddion â modelau gwyddonol. Y maent yn gyfatebiaethol, yn ymestynnol ac yn unedol. Y mae'n credu fod modelau mewn crefydd yn gweithredu mewn ffyrdd ychwanegol na welir mewn gwyddoniaeth gan eu bod yn mynegi ac yn ennyn agweddau neilltuol, yn cyfrannu tuag at drawsnewid ac ailgyfeirio personol, ac yn rhagdybio credu deallusol. Felly, y mae'n dadlau 'y dylid cymryd modelau o ddifri ond nid yn llythrennol' mewn crefydd hefyd.

Wrth gloi'r drafodaeth hon ar fodelau a metafforau, y cwestiwn creiddiol yw: sut y mae gwyddoniaeth a diwinyddiaeth yn deall a chyflwyno gwirionedd neu realiti? Beth yw lle'r modelau yn y cyflwyniadau hyn? Wrth geisio ateb y cwestiwn hwn, y mae Barbour yn crynhoi tri syniad athronyddol am wirionedd yn y meddwl Gorllewinol. Yn gyntaf, gallwn feddwl yn nhermau cyfatebiaeth (*correspondence*): y mae gosodiad yn wir os yw'n cyfateb i realiti. Dyma safbwynt realaeth glasurol. Yn ail, gallwn feddwl yn nhermau cysondeb (*coherence*): y mae gosodiad yn wir os ydyw'n gynhwysfawr ac yn fewnol gyfannol. Ond gall fod mwy nag un cyfres o ddamcaniaethau mewnol cyfannol mewn unrhyw faes. Yn drydydd, gallwn feddwl yn nhermau pragmatiaeth: y mae gosodiad yn wir os yw'n gweithio'n ymarferol. Y mae hwn, fodd bynnag, yn annigonol ar ei ben ei hun: y mae angen mwy na phragmatiaeth ar wyddonwyr os ydynt i wneud eu gwaith.

Safbwynt Barbour ei hun yw realaeth feirniadol. Ystyr gwirionedd yw rhywbeth sy'n cyfateb i realiti ond y mae'n rhaid i feini prawf gwirionedd gynnwys dehongliad sy'n cytuno â'r data sydd ar gael, bod yn gyson â damcaniaethau eraill yn y maes penodol a bod yn gynhwysfawr ac yn ffrwythlon (ac y mae'r meini prawf hyn yr un mor gymwys mewn gwyddoniaeth ag mewn diwinyddiaeth).

Nid yw gwyddoniaeth yn arwain at sicrwydd. Y mae casgliadau gwyddonol bob amser yn anghyflawn, yn betrus ac yn agored i'w hadolygu. Y mae damcaniaethau yn newid gydag amser a dylem ddisgwyl i ddamcaniaethau'r presennol gael eu newid neu eu taflu allan pan fydd tystiolaeth wahanol yn ymddangos yn y dyfodol. Yn yr un modd, y mae Barbour yn dadlau dros realaeth feirniadol mewn crefydd gan ei fod yn 'cymryd modelau crefyddol o ddifri ond nid yn llythrennol. Nid ydynt naill ai'n ddisgrifiadau llythrennol nac yn ffuglen ddefnyddiol, ond yn ddyfais ddynol sy'n ein cynorthwyo i ddehongli profiad drwy ddychmygu'r hyn na ellir ei weld.'[19]

Ein man cychwyn ar gyfer yr ystyriaethau hyn am fodelau a metafffor oedd y berthynas rhwng ffaith a ffydd mewn diwinyddiaeth a gwyddoniaeth. Y mae rhai egwyddorion sylfaenol sydd wedi eu hawgrymu drwy'r drafodaeth hon. Yn gyntaf, nid yw damcaniaethau gwyddonol nemor y casgliadau mwyaf tebygol y gellir dod iddynt ar sail y dystiolaeth sydd ar gael ar hyn o bryd. Yn ail, nid yw mesuriadau nac arsylwadau byth yn absoliwt: cânt eu heffeithio gan y ffordd y mae'r sylwedyddion a'r offer mesur yn ymddwyn mewn amgylchiadau arbennig. Yn drydydd, y mae damcaniaethau gwyddonol bob amser yn agored i gael eu gosod ar brawf gan y gymuned wyddonol a gellir eu newid neu eu gwrthod o ganlyniad. Yn bedwerydd, o bryd i'w gilydd, gall fod tystiolaethau croes, sydd mewn gwrthdrawiad â'i gilydd, am yr un ffenomen naturiol. Yn bumed, nid yw'r modelau a ddefnyddir i gynrychioli damcaniaethau yn gyflawn nac yn barhaol. Yn chweched, y mae cydberthynas rhwng y model a'r dystiolaeth weladwy, ond cydberthynas gyfyng ydyw bob amser. Yn seithfed, nid ffrwyth dychymyg personol yn unig yw ffydd. Y mae iddi sail mewn tystiolaeth empeiraidd mewn testunau, a phrofiad crefyddol hanesyddol a chyfoes. Yn wythfed, gellir gosod prawf ar ffydd oddi fewn i gymuned ffydd ac yn aml y mae'n newid o dan ddylanwad credinwyr eraill neu ddatblygiadau yn ein deall-twriaeth o Dduw a'r byd.

Diwinyddiaeth Proses

Hyd yma yn y gyfrol hon, buom yn ystyried y byd olwg canoloesol a welai'r bydysawd yn nhermau trefn osodedig ddynol-ganolog, y byd-olwg Newtonaidd a welai'r bydysawd fel mecanwaith cymhleth yn dilyn patrwm o gyfreithiau naturiol digyfnewid ac, yn olaf, byd-olwg yr ugeinfed ganrif lle gwelwyd y bydysawd fel system gymhleth sy'n esblygu a datblygu, drwy brosesau cymhleth o gyfraith a siawns. Wrth ystyried yr agweddau hyn, rhaid oedd dechrau trwy ofyn: beth yw lle Duw yn y byd-olygon hyn?

Un modd o ddeall y berthynas rhwng Duw a'r bydysawd yw athroniaeth proses. Whitehead oedd un o'r cyntaf i gyflwyno'r fframwaith athronyddol hwn gan ei ddiffinio fel 'system o syniadau sy'n dwyn buddiannau esthetig, moesol a chrefyddol i berthynas ag ensyniadau o'r bydysawd sydd â'u tarddiadau yn y gwyddorau naturiol'.[20] Dyma fframwaith athronyddol, felly, sy'n ystyried, fel y gwelwn, faterion sy'n ganolog i'r ymagwedd Gristnogol a diwinyddol at y bydysawd. Ydyw'r fframwaith hwn yn cynnig ffordd greadigol a chredadwy o ddehongli'r berthynas rhwng y dwyfol a'r bydysawd?

Rhaid deall rhai agweddau hanfodol ar athroniaeth proses cyn y medrwn ateb y cwestiwn sylfaenol hwn. Yn gyntaf, y mae diwinyddiaeth proses yn gwrthod unrhyw ddealltwriaeth o realaeth sy'n barhaol, yn ddigyfnewid ac yn amhosibl ei newid. Gwelir realaeth yn nhermau 'dyfod i fod' yn hytrach nag yn nhermau bodolaeth sydd eisoes wedi ei chyflawni a'i pherffeithio. Y mae felly'n agored i bosibiliadau newydd yn hytrach na bod yn gaeth i ymddygiad rhagweledig a digyfnewid. Yn ail, honnir bod pob endid naturiol, o'r gronynnau is-atomig lleiaf i'r planedau mwyaf, yn bodoli mewn perthynas ag endidau eraill y mae'n effeithio arnynt ac yn cael ei effeithio ganddynt. Y mae rhyngberthynas yn ganolog i'r bydysawd. Yn drydydd, felly, y mae'r bydysawd yn system organaidd. O weld y bydysawd fel organeb y mae Whitehead yn medru meddwl amdano yn nhermau 'patrwm rhyfeddol gyfannol a deinamig o ddigwyddiadau rhyngddibynnol . . . Bydd pob haenen yn y system organaidd hon yn derbyn oddi wrth ac yn cyfrannu at batrymau o weithgaredd ar lefelau eraill . . . Y mae'r bydysawd yn gymuned o ddigwyddiadau'.[21] Yn olaf, y mae Whitehead yn awgrymu fod angen deall patrwm achos ac effaith y bydysawd yn nhermau tair haenen o achosion, sef, achos effeithlon (hynny yw, y mae realaeth bresennol pob endid yn ganlyniad i ddylanwad endidau eraill arno), hunan-achos (hynny yw, y mae pob endid yn cyfrannu rhywbeth o'i hanfod ei hun i'w fodolaeth bresennol ac i'w esblygiad i newydd-deb yn y dyfodol) ac achos terfynol (hynny yw, dewis, dethol a gweithredu o blith rhychwant o bosibiliadau sy'n arwain at realaeth bresennol yr endid neu'r digwyddiad). Mewn geiriau eraill, y mae proses ddeinamig a chreadigol y tu cefn i fodolaeth ac esblygiad cymhlethdod ac amrywiaeth cyfoethog y bydysawd.

Y mae Barbour yn crynhoi'r cyfan hyn drwy honni fod 'llawer o nodweddion y fetaffiseg (neu'r athroniaeth) proses yn gydnaws iawn â llawer agwedd ar wyddoniaeth gyfoes'.[22] Noda'n fwyaf arbennig y modd y mae'n caniatáu posibiliadau amgen, yn rhoi cyfle i siawns yn ogystal â chyfreithiau naturiol digyfnewid, yn rhannu â bioleg esblygiadol y ragdybiaeth fod parhad a rhyng-ddibyniaeth hanfodol rhwng organebau gwahanol a'i gilydd ac, yn olaf, y modd y mae'r rhyngddibyniaeth hon yn cynnig seiliau posibl ar gyfer casgliadau moesol dwfn.

A oes lle i Dduw yn y meddylfryd hwn? Y mae Whitehead ei hun yn rhoi ateb cadarnhaol. Awgryma fod i Dduw natur gyn-tefig a natur ganlyniadol. Y mae Duw, yn ei natur gyntefig, yng nghalon pob digwyddiad a ddaeth â'r byd i fod ac sy'n dal i wneuthur hynny. Duw yw gwreiddyn pob trefn a newydd-deb. Y mae Duw, yn ei natur ganlyniadol, yn newid ac yn cael ei newid gan ddigwyddiadau yn y bydysawd, digwyddiadau sy'n ganlyniad prosesau siawns a hap, na allai Duw gael rhagwybodaeth ohonynt.

Gallwn grynhoi hyn oll mewn pum datganiad cryno sy'n tarddu yn nhrafodaeth Barbour:[23]

a) Y mae Duw yn gyfranogwr creadigol yn y gymuned gosmig.
b) Duw ydyw sy'n cynnig strwythurau sylfaenol a phosibiliadau newydd i'r gymuned gosmig hon.
c) Gall Duw fod yn asiant ym mhroses esblygiadol natur.
ch) Y mae Duw, felly, yn cynnig cyfreithlondeb ar gyfer moeseg amgylcheddol wedi ei gwreiddio mewn rhyngddibyniaeth.
d) Y mae gweithgarwch Duw fel Creawdwr a'i weithgarwch fel Gwaredwr yn un.

Nid yw pawb, wrth gwrs, yn gysurus â'r ddiwinyddiaeth hon. Er enghraifft, y mae Polkinghorne yn anhapus â'r syniad o Dduw fel Un sy'n ceisio denu'r byd drwy berswâd dwyfol i weithredu mewn rhyw fodd neu'i gilydd yn hytrach nag fel Bod Dwyfol sydd â'r grym ganddo i ddylanwadu'n uniongyrchol ar y byd er mwyn ei newid neu ei ailgyfeirio.[24] Y mae hefyd yn cwestiynu a ydyw'r modd hwn o ddeall Duw yn caniatáu dirnadaeth ddigonol o weithgarwch grymus Duw mewn hanes fel Crëwr, Cynhaliwr a Gwaredwr. Mewn geiriau eraill, ydyw Duw sydd yng nghanol prosesau'r bydysawd yn dal i fod yn Dduw trosgynnol ac yn Dduw

Cristnogol? Cred McGrath yw bod y syniad hwn o Dduw wedi troi cefn ar y Duw trosgynnol traddodiadol.[25] Beirniadaeth arall yw bod y syniad o Dduw sydd yng nghanol y broses gosmig ac sy'n dylanwadu arni, ac yn cael ei ddylanwadu ganddi yn bygwth y gred ym mherffeithrwydd Duw: os yw Duw'n berffaith sut y gall newid? Gellir barnu'r dehongliad hwn hefyd oherwydd ei fod yn codi amheuaeth a ydyw Duw sydd ar waith yng nghanol prosesau'r bydysawd yn dal i fod – fel y byddai diwinyddiaeth Gristnogol yn mynnu – yn Dduw personol.

Ar y llaw arall, y mae Miller a Grenz yn eu cyfrol hwy ar ddiwin-yddiaeth gyfoes yn disgrifio'r Duw y mae diwinyddiaeth proses yn ei gyflwyno fel hyn:

> (Ynddo) ef y mae pob endid, digwyddiad ac achlysur wedi'u dwyn ynghyd, y mae'n dal gafael ar y newydd-deb a gyflawnwyd wrth i'r dyfodol ddod yn bresennol a diflannu i'r gorffennol. Yn y modd hwn, y mae Duw yn ffurfio'r byd mewn undod. Felly, mewn gwrth-gyferbyniad i bobl, sy'n gymdeithasau terfynedig o achlysuron, Duw yw'r gymdeithas ddi-ffiniau. Gall Duw gofio pob profiad a rhagweld pob posibilrwydd; y mae'r Duw hwn yn gwau gorffen-nol a dyfodol ynghyd mewn proses ddiderfyn . . . Nid yw Duw naill ai'n hollalluog na'n hollwybodol, ond gwybydd y dyfodol fel posibilrwydd yn unig, a ddim byth fel ffaith ddiriaethol. Ac fel yr un sy'n ymdeimlo â phob profiad, Duw, yng ngeiriau diffiniad tra chymeradwy Whitehead, 'yw'r cydymaith mawr – y cyd-ddioddefwr sy'n deall'.[26]

Yn wyneb hyn, felly, gall diwinyddiaeth proses gynorthwyo i ddeall Duw yn well yng ngoleuni gwyddoniaeth gyfoes. Cyflwynir y canlynol fel math ar arwyddbyst i'n cyfeirio ar y daith hon tuag at ddealltwriaeth lawnach o Dduw sy'n dal yn gyson â'r gred Gristnogol.

Yn gyntaf, os symudwn oddi wrth yr ensyniad am Dduw fel y Bod Delfrydol neu'r Hanfod Perffaith, a chanolbwyntio'n hytrach ar y syniad proses o 'ddyfod i fod', y mae gennym ddealltwriaeth ddeinamig, organaidd o Dduw yn hytrach nag ensyniad statig a mecanyddol. Duw deinamig yw Duw'r Beibl ac y mae'r ddirnadaeth o ddatguddiad Duw yn y Beibl yn esblygu wrth i bobl ffydd ganfod mwy a mwy o'i hanfod; dirnadaeth sy'n dod i'w phinacl yn y datguddiad o Dduw sy'n dod yn gnawd, yn berson, yn Iesu Grist. Yn wir, y mae'r traddodiad Cristnogol yn cyflwyno Duw sy'n Drindod o bersonau yn rhannu'r un hanfod a lle mae cymeriad a gweithgaredd y Tad, y Mab a'r Ysbryd Glân wedi eu dwyn ynghyd mewn undod perffaith a bywiol. Ensyniad yw hwn sy'n hanfodol ddeinamig.

Yn ail, felly, gellir deall y syniad o'r trosgynnol nid yn gymaint yn nhermau'r Bod sy'n gyfan gwbl uwchlaw a thu hwnt i bob categori dynol o fodolaeth, ond yn nhermau Un sy'n 'dyfod i fod' yn dragwyddol, Duw sydd â'i drosgynoldeb yn gorwedd yn ei allu i weld a chofleidio *holl* bosibiliadau'r bydysawd creedig (o'i agweddau is-atomig i'w agweddau cosmig), boed yn y gorffennol, yn y presennol neu yn y dyfodol. Gan wybod y dyfodol fel posibil-rwydd yn unig, y mae'n dwyn i'w hanfod ei hunan y 'digwydd-iadau' hynny a gânt eu cyflawni a'u gwireddu yn y bydysawd creëdig o blith y rhychwant o bosibiliadau sy'n agored i'w cyflawni. Yn yr ystyr hon, y mae'n drosgynoldeb sydd yn y broses o 'ddyfod i fod'. Fodd bynnag, trosgynoldeb ydyw, yn yr ystyr nad yw'n gaeth i'r cyfyngiadau amser, gofod na dychymyg creadigol y mae bodau dynol yn gaeth iddynt.

Yn drydydd, o'r persbectif hwn, gellir deall perffeithrwydd dwyfol nid yn nhermau Bod tragwyddol ond yn nhermau profiad perffaith o orffennol, presennol a dyfodol y bydysawd, ymateb mewnol perffaith (yn nhermau esblygiad bodolaeth Duw) i ddigwyddiadau'r bydysawd ac ymateb allanol perffaith (yn nhermau cymundeb rhyngberthynol ag hanfodion organebau byw a mater difywyd y bydysawd). Credwn fod y ddirnadaeth hon o Dduw fel Un sydd mewn modd tragwyddol a pherffaith yn y broses o 'ddyfod i fod' yn fwy credadwy na'r ddealltwriaeth draddodiadol o drosgynoldeb Duw.

Yn olaf, caiff y ddealltwriaeth hon o Dduw ei chadarnhau, o bersbectif Cristnogol, gan yr hyn y mae Cristnogion yn ei olygu wrth sôn am ymgnawdoliad. Yng ngeiriau David Jenkins, 'Y mae Duw; y mae Duw fel y mae yn Iesu'.[27] Os felly, y mae categorïau 'dynol' megis profiad, dychymyg, ymateb a 'dyfod i fod', yn rhan o hanfod yr hyn y mae'n ei olygu i fod yn Dduw hefyd. Dengys ufudd-dod Iesu fod y Duw sy'n barhaol 'ddyfod i fod' yn agored bob amser i ddyfodol Duw ei hun a dyfodol y bydysawd. Dengys dioddefaint a marwolaeth Iesu fod Duw'n agored hefyd i fenter fregus a chlwyfedig pob bywyd. Dengys atgyfodiad Iesu fod Duw'n agored i obaith a gogoniant dyfodol y ddynolryw a'r bydysawd. Yn yr ystyr hon, rydym yn adnabod yn Iesu y Duw trosgynnol sy'n gariad, trosom ni a thros y greadigaeth ac sydd, yng ngeiriau godidog Whitehead, 'yn gydymaith mawr, yn gyd-ddioddefwr sy'n deall'.

Ôl-foderniaeth, gwyddoniaeth a Christnogaeth

Nid oes gofod yn y gyfrol hon i drafodaeth drylwyr o'r pwnc dyrys hwn ond gellir nodi rhai agweddau arwyddocaol. I raddau helaeth iawn, fel y gwelsom, y mae dull gwyddoniaeth o weithredu wedi'i wreiddio yn y traddodiad empeiraidd a nodweddai'r meddwl 'modernaidd' ac sy'n dal i'w nodweddu. Y mae'n casglu tystiolaeth empeiraidd drwy arbrofion, yn llunio damcaniaethau ar sail y dystiolaeth honno ac yn gwerthuso'r ddamcaniaeth drwy arbrofi pellach gyda golwg ar ei chadarnhau, ei haddasu neu ei gwrthod. Trwy'r broses gymhleth a pharhaus hon adeiledir darlun neu naratif sy'n amcanu at gynnig esboniad mor gyflawn â phosibl o hanfod bodolaeth a phrosesau'r bydysawd. Gwneir hynny ar y dybiaeth fod i eiriau eu hystyron eu hunain ac y gallwn ddefnyddio'r geiriau a'r termau gwyddonol priodol am fod pawb sy'n eu defnyddio yn deall eu hystyr gan fod iddynt ystyr sy'n gyffredin i bawb. Felly, gallwn sôn am atom, neu DNA, neu ameba, yn hyderus gan fod pawb ohonom yn gwybod, yn fras, am beth yr ydym yn sôn. Oni bai fod hyn yn wir, ni fyddai siarad gwyddonol (nac unrhyw siarad ystyrlon arall) yn bosibl o gwbl.

Y mae ôl-foderniaeth yn herio'r rhagdybiaethau hyn ac yn gwrthod derbyn, ar y naill law, fod darlun cyflawn derbyniol (neu, yn ôl ôl-foderniaeth, meta-naratif) yn bosibl ac, ar y llall, fod i eiriau ystyr ynddynt eu hunain, heb inni orfod dadelfennu'r gair i ddarganfod beth yw ei ystyr. Ei honiad yw nad yw meta-naratif (hynny yw, y stori fawr sy'n ceisio dehongli ac esbonio cyfanrwydd unrhyw sefyllfa, ddigwyddiad neu gyfnod) yn bosibl ac na allwn gymryd yn ganiataol bod i eiriau ystyron derbyniol sy'n gyffredinol a dealladwy.

Sut y gall gwyddoniaeth a diwinyddiaeth Gristnogol ymateb i'r honiadau hyn? Gallai ateb i'r cwestiwn hwn fod yn gyfrol hir. Rhaid bodloni am y tro ar nodi rhai casgliadau sylfaenol. Yn gyntaf, y mae'r ffydd Gristnogol yn herio rhagdybiaethau ôl-foderniaeth ac yn mynnu bod i eiriau ystyr ynddynt eu hunain a bod llunio darlun cyflawn neu feta-naratif am y bydysawd a'r bywyd sydd ynddo yn bosibl. Ar yr un pryd, yn ail, y mae ôl-foderniaeth yn her. Ni ellir cymryd yr hen ragdybiaethau yn ganiataol. Rhaid bod yn barod i'r stori Gristnogol a adroddwn gael ei diwygio a'i hadnewyddu yng ngoleuni darganfyddiadau newydd am darddiadau, cynllun ac amcan y bydysawd a bywyd dynol, ond heb golli, wrth gwrs, yr agweddau digyfnewid sydd â'u gwreiddiau cadarn yn y ffydd apostolaidd a amlinellwyd yn y rhagymadrodd. Yn drydydd, ni allwn gymryd yn ganiataol, ychwaith, fod geiriau yn cadw'u hystyr a'n bod ni oll yn defnyddio gair arbennig yn yr un modd. Rhaid ail-ystyried a, hyd yn oed, ail-ddiffinio ystyr geiriau yn unol â'r meddwl cyfoes ond mewn cytgord â'r traddodiad Cristnogol beiblaidd. Yn y cyd-destun presennol, y mae hyn yn gofyn am ddeialog agored rhwng Cristnogaeth a gwyddoniaeth er mwyn i ni ddeall meddwl ein gilydd yn llawnach a dyfnach, ac er mwyn ailfynegi'n ffydd mewn ymateb i'r meddwl gwyddonol cyfoes, heb wadu'r traddodiad apostolaidd yr ydym wedi ei etifeddu.

3

Y Glec Fawr, y Cread a Duw

Bu tarddiadau'r bydysawd yn bwnc llosg mewn diwinyddiaeth Gristnogol ers canrifoedd.[1] Yn ystod yr ugeinfed ganrif, yn fwyaf arbennig, cafwyd cryn ddadlau rhwng y sawl oedd am weld y naratifau am y creu yn y ddwy bennod gyntaf o Lyfr Genesis fel yr awdurdod terfynol ar darddiadau'r bydysawd ac eraill oedd am dderbyn y damcaniaethau gwyddonol diweddaraf gan esbonio a dehongli'r naratif beiblaidd yng ngoleuni'r damcaniaethau hyn.[2] Cychwynnwn y bennod hon drwy ystyried rhai agweddau creiddiol ar y damcaniaethau cosmolegol hyn.

Y Glec Fawr

Cynigiwyd y Glec Fawr fel esboniad o darddiadau'r bydysawd ar sail y ffaith fod y bydysawd mewn cyflwr cyson o ehangu; os yw'n ehangu y mae'n rhaid ei fod yn ehangu o fan cychwyn, 'pwynt unigoliaeth', rhyw 13.8 biliwn o flynyddoedd yn ôl (gweler y tabl isod sy'n dechrau gyda heddiw ac yn amlinellu'r prif gamau yn natblygiad y bydysawd o'r foment gyntaf oll (sef, pwynt unigoliaeth) ymlaen tan heddiw).[3]

AMSER	TRAWSNEWIDIAD
13.8 biliwn blwyddyn	(heddiw)
12 biliwn blwyddyn	bywyd microscobaidd
10 biliwn blwyddyn	ffurfio planedau
1 biliwn blwyddyn	ffurfio'r galaethau (elfennau trwm)
500,000 blwyddyn	ffurfio atomau (elfennau ysgafn)
3 munud (sef 180 eiliad)	ffurfio niwclei (hydrogen, heliwm)
10^{-4} (sef, 0.0004 eiliad)	cwarciau i brotonau a niwtronau
10^{-10}	grymoedd electromagnetig gwan yn gwahanu
10^{-35}	grym niwclear cryf yn gwahanu
10^{-43}	grym disgyrchiant yn gwahanu
(0	annherfynedd unigoliaeth)

Yng ngeiriau Stephen Hawking, 'Byddai dechrau amser wedi bod yn bwynt o bwysedd annherfynol a chrymedd annherfynol gofod-amser. Byddai pob deddf wyddonol y gwyddys amdani yn torri i lawr y pryd hwnnw . . . a byddai effeithiau cwantwm disgyrchol yn dod yn bwysig iawn'.[4] Y dystiolaeth gryfaf dros y Glec Fawr yw bod y bydysawd nid yn unig yn ehangu ond yn ehangu gyda chyflymder cynyddol. Tystiolaeth arall yw bodolaeth ymbelydredd cefndir microdonog. Credir bod yr ymbelydredd hwn, sy'n cadw'r tymheredd ym mhob man yn y gofod tua thair gradd uwchlaw'r Sero Diamod, yn atsain o wres y Glec Fawr wreiddiol. Bu cryn drafod ymhlith cosmolegwyr am gyflwr dechreuol hyn oll.[5] A ddigwyddodd y Glec Fawr o bwynt unigoliaeth, pwynt lle mae'r cyfaint yn sero a'r dwyster yn anfeidraidd, neu a ddigwyddodd o bwynt lle nad oedd, yn llythrennol, ddim o gwbl yn bodoli (damcaniaeth sy'n adleisio'r athrawiaeth Gristnogol am *creatio ex nihilo*, y creu o ddim)? Er enghraifft, y mae Wetterich, cosmolegydd o Brifysgol Heidelberg, yn dadlau mewn erthygl yn 2013 y gallai bod darlun gwahanol o darddiadau'r bydysawd, sef, bod y bydysawd wedi cychwyn o dan amodau oer iawn, iawn yn hytrach na mewn cyflwr anhygoel o boeth:

> Y casgliad naturiol o'r model hwn yw darlun o fydysawd a esblygodd yn araf iawn o gyflwr eithafol o oer, gan grebachu dros gyfnodau estynedig o amser yn hytrach nag ehangu . . . Yn y darlun newydd hwn o'r dechreuadau nid oes pwynt unigoliaeth.[6]

Un o ganlyniadau'r cyhoeddiad am ddarganfod tystiolaeth dros donnau disgyrchol (gweler Pennod 1) oedd gohebiaeth sylweddol ar-lein ynglŷn â goblygiadau hyn mewn perthynas ag athrawiaeth y creu ac yn arbennig felly Diwinyddiaeth Creadaeth sy'n dadlau fod penodau cyntaf llyfr Genesis yn cynnig disgrifiad llythrennol o darddiadau'r bydysawd drwy law Duw sy'n Greawdwr popeth.[7] Y mae'n amlwg fod y sawl sydd am dderbyn darganfyddiadau cosmolegol, megis y dystiolaeth dros donnau disgyrchol, yn gorfod gweithio'n galed iawn i geisio llunio diwinyddiaeth gosmolegol sy'n gydnaws â Genesis. Yr hyn sy'n ddiddorol yn y drafodaeth hon yw mai nid cred mewn Duw sy'n Greawdwr yw calon y ddadl yn gymaint â llythrenoldeb y Beibl: y mae'r awduron hyn am lynu at y gred fod y creu wedi digwydd mewn chwe diwrnod ac yn awyddus i addasu dehongliadau cosmoleg cyfoes er mwyn eu cysoni â'r dystiolaeth feiblaidd, fel y maent yn ei deall.

Honiad sylfaenol y bennod hon, fodd bynnag, yw nad yw damcaniaeth gosmolegol y Glec Fawr, Damcaniaeth yr Oerni Dwfn na'r darganfyddiad o donnau disgyrchol yn fygythiad mewn unrhyw fodd i'r ffydd Gristnogol oherwydd nad yw naratifau Llyfr Genesis yn ymgais i gynnig esboniad gwyddonol o darddiadau'r bydysawd (syniad a fyddai wedi bod yn hollol estron i awduron a golygyddion y penodau hynny). Gellir datgan fod Duw wedi creu'r byd a bod y damcaniaethau hyn yn cynnig esboniadau gwyddonol derbyniol a dilys o ddechreuadau'r bydysawd, heb fod y naill ddatganiad yn amharu mewn unrhyw ffordd ar hygrededd y llall. Yn wir, byddem yn dadlau fod y ddealltwriaeth wyddonol am darddiadau'r bydysawd yn cyfoethogi a dyfnhau'r athrawiaeth Gristnogol, a bod yr athrawiaeth Gristnogol yn medru rhoi dimensiwn newydd i'r esboniadau gwyddonol. Gallwn dderbyn y Glec Fawr ac agweddau eraill ar gosmoleg cyfoes tra, ar yr un pryd, gyffesu 'Credwn yn Nuw, Creawdwr nefoedd a daear.'

Yr Egwyddor Anthropig[8]

Y mae'r Egwyddor Anthropig yn honni fod y bydysawd wedi ei greu gyda'r union amodau a nodweddion sydd yn galluogi bywyd i fodoli ac yn fwyaf arbennig i alluogi'r hil ddynol i fodoli. Gallai hyn fod yn cynnig dadl o blaid y gred fod y bydysawd wedi ei greu gan Dduw yn fwriadol er mwyn bod yn 'gartref' i'r hil ddynol.

Y mae mesuriadau'n dangos y byddai newidiadau bychain yn yr ystod o gysonion ffisegol wedi arwain at fydysawd na allai gynnal bywyd; byddai'r rhain yn cynnwys cyflymder ehangiad y bydysawd (h.y. cysonion disgyrchol), a ffurfiant yr elfennau (h.y. cryfder y bondiau cemegol mewn atomau a moleciwlau). Roedd gofynion y bydysawd cynnar yn cynnwys y cydbwysedd cywir rhwng hydrogen a heliwm, ffurfiant sêr a chyfres gyson o sêr yn llosgi i gynhyrchu'r elfennau cemegol trymach, a bod y sêr cyntaf yn ffrwydro fel uwchnofâu (*supernovae*) i ryddhau'r elfennau hyn i'r amgylchfyd.

A oes arwyddocâd i'r Egwyddor Anthropig hon? Nid yw pawb, wrth gwrs, yn derbyn yr egwyddor. I rai y mae'n arwyddocaol ac yn disgrifio sefyllfa real a gefnogir gan arsylwadau a damcaniaethau gwyddonol. Anghytuna eraill gan ddadlau na ellir profi na gwrthbrofi'r egwyddor, ac felly nad gosodiad gwyddonol mohono ond gosodiad athronyddol.[9] Dadleuir hefyd gan rai mai dadl gylch sydd yma: os mai dyma'r unig fydysawd sy'n caniatáu esblygiad bywyd deallus sy'n medru arsylwi a deall y bydysawd, o'r braidd y dylem synnu mai dyma'r bydysawd yr ydym mewn gwirionedd yn ei weld – ni fedrem fodoli mewn bydysawd gwahanol.

Ymateb Barbour i hyn yw nad yw'r ffaith ein bod yn medru deall a sylwi ar yr unig fydysawd y gallem fodoli ynddo, ac a ddaeth i fod drwy brosesau cwantwm sydd eu hunain yn annhebygol, yn gwneud bodolaeth y bydysawd hwn yn llai annhebygol. Yr ydym, yn wir, yn bodoli yn y bydysawd hwn. Gallwn, felly, arsylwi a mesur nodweddion y bydysawd hwn a deall yr amodau sy'n gwneud ein bodolaeth ni ynddo yn bosibl. Gallai hyn fod yn ganlyniad i brosesau damweiniol, fel y byddai rhai'n dadlau, nad oes ynddynt le i Dduw sydd â bwriadau ac amcanion ar gyfer ei fydysawd, neu fe allai'r rhain fod yn rhan o fwriad y Duw a greodd fydysawd lle gallai bodau dynol fodoli.

Ydyw'r egwyddor hon yn dangos arwyddion cynllunio? Y mae McGrath, fel diwinydd Cristnogol, yn dod i'r casgliad canlynol: '(Er nad yw'r Egwyddor Anthropig yn brawf o gred grefyddol) y mae'n elfen bellach mewn cyfres gynyddol o ystyriaethau sydd o leiaf yn gyson â bodolaeth Duw sy'n Grëwr.'[10] Rhestra nifer o ffactorau sy'n ei arwain i'r casgliad hwn. Yn gyntaf, y mae'r Egwyddor Anthropig yn gyson â'r ddealltwriaeth theistaidd o'r byd ac yn gynwysadwy oddi fewn i'r fath ddealltwriaeth. Hynny yw, y mae'r egwyddor hon yn gyson â chredu mewn Duw sydd wedi rhoi bod i fydysawd yn unol â'r bwriad a'r pwrpas dwyfol, ac sydd hefyd ar waith yn cynnal y bydysawd er mwyn cyflawni'r pwrpas hwnnw ynddo a thrwyddo, er nad yw'r egwyddor, wrth reswm, yn gadarnhad diamwys o fodolaeth Duw. Ond, yn ail, ac yn fwy penodol, y mae'r egwyddor hon yn cynnig tystiolaeth gadarnhaol o blaid dealltwriaeth theistaidd o Dduw. Yn wir, yn drydydd, gall yr egwyddor hon fod yn fodd i dystio o blaid y posibilrwydd o Dduw i bobl nad ydynt yn medru coleddu'r syniad o Dduw.

Y mae gwyddonwyr a diwinyddion yn cyflwyno ymatebion amrywiol i'r Egwyddor Anthropig. Yn ôl Stephen Hawking (yn ysgrifennu yn 1998): 'Y mae'n annhebygol iawn (*the odds against are enormous*) y byddai bydysawd fel yr eiddom ni yn dod i fod drwy ddigwyddiad megis y Glec Fawr. Y mae'n amlwg fod goblyg-iadau crefyddol'.[11] Erbyn hyn, fodd bynnag, y mae Hawking wedi troi cefn ar yr honiad hwn ac yn gwrthod y syniad fod goblygiadau crefyddol i fodolaeth y bydysawd hwn.[12] 'Y mae deddfau gwydd-oniaeth yn ddigonol i esbonio tarddiadau'r bydysawd. Nid oes angen honni bodolaeth Duw'.[13]

Y mae Barbour mewn dau feddwl am y mater:

Nid yw'r Egwyddor Anthropig yn ddadl gref dros gynllun yn nhraddodiad diwinyddiaeth naturiol ond y mae'n gyson â diwinyddiaeth natur: tiwnio manwl y bydysawd yw'r union yr hyn y byddem yn ei ddisgwyl petai bywyd ac ymwybod ymhlith amcanion Duw rhesymol a bwriadus.[14]

Yn y cyfan hyn y mae swyddogaeth yr arsylwedydd yn ganolog. Y mae'r ffaith fod yna arsylwedyddion yn awgrymu y bu amodau oddi fewn i'r bydysawd (a bod yna amodau o hyd) a arweiniodd at esblygiad ffurfiau bywyd a fedrai arsylwi rhai o'r nodweddion hyn.

Yn gyffredinol, fodd bynnag, y mae seiliau gwyddonol y ddamcaniaeth hon yn ansicr a dadleuol ac ni ddylem, mae'n siŵr, ddibynnu'n ormodol arni am gadarnhad fod cynllun bwriadol neu ddwyfol y tu cefn i'r bydysawd yr ydym yn trigo ynddo.

Damcaniaeth Tannau

Yn y bennod flaenorol buom yn trafod Damcaniaethau Perthynoledd a Damcaniaeth Cwantwm. Daeth ffisegwyr a chosmolegwyr i'r casgliad fod y ddwy ddamcaniaeth hyn yn anghyson â'i gilydd a'i bod yn annhebygol y gellid eu cyfuno i lunio un ddamcaniaeth gyfannol sy'n cynnig esboniad cyflawn o wneuthuriad ac ymddygiad mater y bydysawd. Nid yw'r damcaniaethau ychwaith yn esbonio'r hyn a elwir yn ddisgyrchiant cwantwm, ensyniad sy'n sylfaenol i unrhyw esboniad gwyddonol digonol o ddechreuadau'r bydysawd.

Yn 1969, wedi cryn ddyfalu am y cwestiynau hyn ac wedi cyfnod o gynnig damcaniaethau amrywiol nad oes angen i ni fanylu arnynt yn y gyfrol hon, awgrymodd Yoichiro Nambu, Holger Bech Nielsen a Leonard Susskind y gellid cyfuno a chrynhoi'r damcaniaethau hyn yn nhermau tannau.[15] Yn sylfaenol, yn hytrach na meddwl am wneuthuriad mater y cosmos yn nhermau gronynnau atomig ac is-atomig sy'n ymddwyn mewn modd sy'n gynhenid ansicr,

weithiau fel gronynnau ac weithiau fel tonnau, cynnig y ddam-
caniaeth hon y model o dant neu linyn i esbonio ymddygiad
deunydd microsgopig mater. Honnir felly fod mater wedi ei gyf-
ansoddi nid o ronynnau ond o dannau microsgopig. Awgrymir
fod dau fath ar dannau: tant gyda dechrau a diwedd iddo, a thant
sydd wedi ei ffurfio'n gylch di-dor. Y mae'r ddau fath ar dant yn
dirgrynu, yn yr un modd ag y mae tannau offerynnau cerdd
llinynnol megis ffidil neu gitâr yn dirgrynu pan fydd rhywun yn
eu tynnu. Fel yn achos y tannau cerddorol y mae'r dirgryniant yn
achosi nodau arbennig yn unol â hyd y tant a'i drwch. Y nodau
hyn ar hyd y tant yw lleoliad y pecynnau egni a adnabyddir yn y
damcaniaethau eraill fel gronynnau, megis protonau, electronau
a phositronau. Ffurfir y tant ei hun gan y grymoedd egnïol sy'n
achosi'r adwaith rhwng y pecynnau o egni. Yn y ddamcaniaeth
hon, felly, nid casgliad o ronynnau digyswllt sy'n adweithio â'i
gilydd yw mater ond casgliad o dannau sy'n dirgrynu ac yn peri
i becynnau o egni negyddol neu bositif ymddangos ar eu hyd.

Credir gan ddeiliaid ac amddiffynwyr Damcaniaeth Tannau ei
bod yn cynnig y posibilrwydd o esboniad cyflawn o ymddygiad
y bydysawd nad yw'r damcaniaethau blaenorol yn eu cynnig.
Ymhellach, credant fod ynddi felly'r potensial o fod yn ddamcan-
iaeth popeth y mae ffisegwyr a chosmolegwyr wedi chwilio amdani
cyhyd, damcaniaeth sy'n cynnwys esboniad credadwy o ddisgyrch-
iant cwantwm.

Ar hyn o bryd, fodd bynnag, damcaniaeth fathemategol yw hon,
sy'n gynnyrch ymchwil mathemategol ond na fu'n bosibl ei chadarn-
hau na'i gwrthbrofi drwy arbrofion gwyddonol. Hyd yn hyn,
byddai arbrofion o'r fath mewn labordai enfawr yn enbyd o gymhleth
a chostus, a thu hwnt i adnoddau unrhyw wlad na chynghrair o
wledydd. O ganlyniad, y mae llawer o wyddonwyr yn amheus o'r
ddamcaniaeth tra bod eraill yn gweld yn y ddamcaniaeth hon, a'r
damcaniaethau eraill sy'n cael eu datblygu ohoni, y potensial o gynnig
yr esboniad gwyddonol eithaf a therfynol o wead a gwneuthuriad
y bydysawd a'r modd y dygodd y Glec Fawr y bydysawd i fod.

A oes arwyddocâd diwinyddol i'r ddamcaniaeth hon? Ei phrif
gyfraniad i'n hystyriaeth o ddechreuadau'r bydysawd a lle Duw
yn y dechreuadau hynny yw ei bod yn cynnig, fel y nodwyd eisoes,

y posibilrwydd o esboniad unol a chyfannol o'r dechreuadau hynny ac o wneuthuriad mater yn y bydysawd. Hyd yn hyn, bu damcaniaethau ffisegol a chosmolegol yn gwrthddweud ei gilydd mewn perthynas â rhai agweddau ar natur y cread. Gall y ddamcaniaeth hon gynnig esboniad gwyddonol unol sy'n gyson â honiad y ffydd Gristnogol, sef, mai'r un Duw ddaeth â'r cyfan i fod ac mai dyma'r Duw sy'n cynnal a chadw'r bydysawd yn ei rawd ryfeddol o hyd. Dyma gymryd cam bychan, felly, tuag at oresgyn y gwrthdaro honedig rhwng ysgolheigion mewn ffiseg, cosmoleg a diwinyddiaeth, ac ail ddatgan y ffydd Gristnogol oesol fod undod y bydysawd yn adlewyrchiad o undod y Duwdod ac yn tarddu ynddo.

Byddai eraill, mae'n siŵr, yn gwadu fod y Ddamcaniaeth Tannau yn cynnig gobaith am ddealltwriaeth o darddiadau'r bydysawd allai fod yn gyson â ffydd mewn Duw sy'n Greawdwr. Sail y feirniadaeth hon yw methiant gwyddonwyr tannau hyd yn hyn i ddyfeisio unrhyw arbrofion sy'n cynnig y posibilrwydd o brofi (neu wrthbrofi, wrth gwrs) honiadau a rhagfynegiadau sylfaenol y ddamcaniaeth. Os na ellir profi bodolaeth Duw na'i ran yn ein dechreuadau, sut mae'r Ddamcaniaeth Tannau, na ellir hyd yn hyn ei phrofi ychwaith (ac sy'n ddibynnol, felly, ar ffydd yn y damcaniaethau gwyddonol sy'n sail iddi) yn debygol o gynnig fframwaith meddyliol sydd mewn unrhyw fodd yn fwy dibynadwy a chredadwy na'r athrawiaeth Gristnogol? Nid yw cyfuno dwy 'ddamcaniaeth' amhrofedig yn cynnig sail gadarnach i ffydd. Ar hyn o bryd, efallai, ni allwn ddweud mwy na, 'Cawn weld.'

Fodd bynnag, mae Keith Ward yn awgrymu ei bod yn bosibl gweld cysylltiad rhwng yr ensyniad o 'ddamcaniaeth popeth' a'r meddwl dwyfol:

Os oes damcaniaeth popeth, rhaid iddi gael ei lleoli ym meddwl Duw. Y mae meddwl Duw wedi ei guddio oddi wrth y deall dynol. Er hynny, y mae'r meddwl dynol yn medru gweld fod cyflawniad naturiol a rhesymol ei ymchwil am ddeall i'w gael ym modolaeth meddwl dwyfol hunan-fodol . . . (G)all crefydd gyfeirio tuag at gyflawniad y chwilio penderfynol am ddeall sy'n gyrru'r gwyddorau naturiol. Gall ein cyfeirio at y cyflawniad hwn mewn rhywbeth sydd y tu hwnt i, ac eto sy'n perffeithio, gwyddoniaeth, (sef) realiti'r meddwl eithaf sy'n ddirgelwch ond sydd ynddo'i hun yn gyfan gwbl ddealladwy.[16]

Damcaniaeth Chaos

Damcaniaeth arall a ddatblygwyd yn ystod yr ugeinfed ganrif oedd Damcaniaeth Chaos.[17] Y duedd gyffredin fu meddwl fod y ddamcaniaeth hon yn honni fod popeth yn tueddi at 'chaos' a bod y wyddoniaeth yn dadlau fod popeth, yn y diwedd, yn tueddu tuag at chwalfa trefn a ffurf yn y cosmos. Ond nid dyma yw hanfod y ddamcaniaeth. Yn gyntaf, y mae'n ymwneud â systemau cymhleth iawn, megis y tywydd neu'r ymennydd dynol. Y mae systemau o'r fath yn datgelu nodweddion nas gwelir mewn systemau mwy syml oherwydd bod cynifer o ffactorau amrywiol a chymhleth eu heffaith yn dylanwadu mewn ffyrdd gwahanol ar elfennau amrywiol y system. Yn ail, yng nghyd-destun systemau fel hyn fe'i darlunnir (darlunnir, sylwer, ac nid disgrifir) yn nhermau'r 'effaith pilipala': pan mae pilipala yn lledu ei adenydd ym Mrasil ym mhen amser y mae'n cael effaith ar y tywydd ym Meijing.[18] Hynny yw, yn ôl y darlun hwn, gall ansicrwydd anhygoel o fychan mewn cyflwr cychwynnol system arwain at ansicrwydd enfawr pan geisir rhagfynegi ymddygiad dilynol y system. O ganlyniad gallwn feddwl am y bydysawd fel system agored lle y mae'n bosibl i bethau newydd ac annisgwyl ddigwydd: 'Rydym yn byw mewn byd sy'n wironeddol "ddyfod i fod" (*We live in a world of true becoming*)'.[19] Ar un olwg, nid yw taflu carreg fechan i mewn i lyn llonydd yn cael effaith mawr ar y llyn enfawr. Ond, o edrych, gellir canfod y cylchoedd tonnog yn ymestyn allan o'r canolbwynt gan drosglwyddo egni'r ergyd gyntaf yn raddol dros wyneb y dŵr. Mewn systemau cymhleth fel y system feteorolegol gall effaith ymddangosiadol fechan mewn un rhan o'r system gael effaith annisgwyl ar ran arall o'r system ymhell i ffwrdd.

Awgryma hyn nid yn unig fod cydgysylltiad clos ac annisgwyl rhwng agweddau gwahanol o gymhlethdod y bydysawd ond bod y bydysawd yn rhyfeddol o sensitif i'r amrywiol ddigwyddiadau sydd ar waith ynddo. Dyma arddangos undod rhyngweithiol a rhwydweithiol anhygoel sy'n arwydd o undod cyfoethog y cyfan. Nid unffurfiaeth undonog yw hanfod undod y bydysawd ond amrywiaeth astrus. Geilw hyn oll am ddychymyg o'r radd uchaf i ddirnad y cymhlethdod hwn a'i ddeall. Ar un olwg, dyma fynd i galon cyfrinach gwyddoniaeth. Nid delio â ffeithiau difywyd a digyswllt a wna. Y mae arbrofi a deall y prosesau a'r strwythurau microsgopig a chosmolegol yn galw am lygaid wedi eu donio â dychymyg byw cyn y bydd microsgop neu delesgop yn datgelu ei gyfrinachau. Nid trefn yw'r cyfan. Yn hytrach, y mae cywrein-rwydd dihafal yng nghalon y cyfan. Yn ôl Polkinghorne 'y mae disgrifio'r byd ffisegol yn gofyn am ehangu'n dychymyg mathem-ategol y tu hwnt i'r posibiliadau trefnus (disgwyliedig) . . . Dylai Damcaniaeth Chaos gymell cred mewn realiti ffisegol mwy cynnil a hyblyg (*more subtle and supple*) na byd "mecanyddol" Newton'.[20]

I'r sawl sy'n rhoi hygrededd i'r weledigaeth feiblaidd o'r byd-ysawd y mae rhywbeth mwy ar waith yn y fan hon. Honiad adnodau agoriadol y Beibl yw bod y dechreuadau wedi eu nodweddu gan gyflwr 'afluniaidd a gwag' (Genesis 1:2). Tystiolaeth Genesis yw bod Duw wedi dod â threfn a phatrwm i fod o ganol yr afluneidd-dra, a'r gwacter digyswllt ac ymddangosiadol diystyr hwn. Ffurf-iwyd byd o ganol y gwacter. Ar un olwg, tasg gwyddoniaeth yw dirnad, disgrifio ac esbonio'r patrymau a ddatblygodd ar hyd oesau ac aeonau hir bodolaeth y bydysawd. Fodd bynnag, nid trefnusrwydd syml yw unig nodwedd y bydysawd hwn. Y mae Egwyddor Ansicrwydd Heisenberg[21] (sy'n dal na ellir bod yn sicr o leoliad a momentwm – neu gyflymdra – gronyn ar yr un pryd; o wybod un ni ellir bod yn sicr o'r llall) eisoes wedi chwalu'r ensyniad hwnnw yn deilchion. Bellach nid anallu i ragweld a rhagfynegi'r hyn sy'n digwydd ar y lefelau atomig ac is-atomig (am fod ansicrwydd y sefyllfa'n gwneud hynny'n amhosibl) yw unig nodwedd ein disgrifiad o'r bydysawd. Yn awr, daeth yn amlwg hefyd fod y bydysawd yn hanfodol gymhleth a bod y cymhlethdod cynhenid hwnnw yn cynyddu. O ganlyniad, yn wyddonol (ac felly'n ddiwinyddol, gan fod yn rhaid i ddiwin-yddiaeth gymryd cymhlethdod y bydysawd o ddifri), nid yw esboniad syml yn bosibl. Rhaid i ni ddygymod â chymhlethdod cynhenid sy'n rhan o hanfod y greadigaeth. Canlyniad hyn, o safbwynt y gyfrol hon, yw na allwn ddisgwyl i ffydd mewn Creawdwr nac yn nharddiad (o safbwynt Cristnogol) gwyrthiol, grasol a gogoneddus y bydysawd hwn – a phob bydysawd arall a fu neu a fydd – fod yn syml ychwaith. Bydd yn rhaid i ffydd ddygymod â chymhlethdod os ydym am fod – fel y byddem am fod – yn ffyddlon i ddychymyg a dirnadaeth cosmoleg gyfoes.

Beth am ddyfodol y bydysawd?

Y mae'r bydysawd yn ehangu. Y mae cyflymder ehangu'r bydysawd yn agos iawn at y trothwy tyngedfennol rhwng bydysawd sy'n ehangu'n annherfynol (bydysawd agored) a bydysawd sy'n ehangu am gyfnod hir iawn cyn dechrau lleihau eto (bydysawd caeedig). Felly, medrai'r Glec Fawr gael ei dilyn mewn biliynau o flynyddoedd gan y Cratsh Mawr[22] fyddai'n ddiweddglo dinistriol proses o leihad cosmig. Ond nid oes sicrwydd mai dyma fydd tynged y bydysawd.

Mewn rhaglen yn y gyfres *Horizon*, rai blynyddoedd yn ôl, cafwyd ystyriaeth o waith yr Athro Saul Perlmutter ar uwchnofâu sy'n awgrymu fod y bydysawd yn ehangu'n fwy cyflym nag a dybiwyd cynt.[23] Hynny yw, fod cyflymder yr ehangu yn cyflymu yn hytrach nag yn arafu. Roedd yr uwchnofâu yn 20 y cant yn fwy tywyll nag a ddisgwylid. Y mae'r dystiolaeth hon yn awgrymu nad y Cratsh Mawr fydd diwedd yr hyn a wyddom o fodolaeth y cosmos ond, yn hytrach, cynnydd cyson a diddiwedd ym maint y bydysawd nes bod goleuni yn darfod. Yn ôl y ddamcaniaeth hon, gallai'r bydysawd barhau am byth yn y tywyllwch hwn. Os yw hyn yn wir, y mae'n rhaid ei fod yn un o ddarganfyddiadau pwysicaf yr ugeinfed ganrif. Y mae'n rhaid bod ynni anhysbys a dirgel yn y cosmos sy'n gwthio popeth ar wahân, yn brwydro yn erbyn disgyrchiant, sy'n tarddu yn union yng ngwagle'r gofod. Yn ôl Perlmutter (a enillodd Wobr Nobel am Ffiseg yn 2011 am y darganfyddiad hwn) ar ddiwedd y rhaglen honno:

Bydd y galaethau eraill i gyd yn symud mor bell oddi wrthym nes y dônt yn anweledig . . . Bydd y sêr eu hunain yn llosgi allan – dim sêr, dim galaethau, dim ond tywyllwch . . . Daw'r byd mewn gwirionedd yn lle mwy gwag a mwy unig . . . ac mewn un ystyr bydd yn fydysawd oerach, yn fydysawd sy'n marw . . . Rydym yn disgrifio bydysawd allai fod yn annherfynol, allai barhau am byth.

Gallwn gael ein harwain gan ddarganfyddiadau o'r fath – fel llawer gwyddonydd yn y meysydd hyn – i gymryd golwg ddigalon a diobaith am ddyfodol a thynged y bydysawd ac, o ganlyniad, gallwn ddod i'r casgliad nad oes i'r bydysawd na phwrpas nac amcan terfynol. Y mae'n mynd ar ei rawd ac yn y diwedd, pryd bynnag fydd hynny, bydd popeth yn mynd i'w ddistryw a daw menter y cosmos i ben.

Myn Barbour fod y rhain yn ddamcaniaethau eithafol iawn sy'n hollol anghyson â'r dystiolaeth feiblaidd.[24] A allwn ni gytuno â'i ddyfarniad? Y mae'n cynnig rhai nodweddion diwinyddol ar gyfer eschatoleg Gristnogol sy'n ymwybodol o wyddoniaeth. Yn gyntaf, y mae'r Beibl yn sôn am drawsffurfiad ac ailadeiladu personol mewn ymateb i Dduw. Hynny yw, y mae'n honni na ellir sôn am ddyfodol mewn unrhyw ystyr sy'n gyson â'r Beibl lle nad yw personau sy'n medru bod yn ymwybodol o Dduw yn rhan gynhenid a hanfodol o fodolaeth ac ystyr a phwrpas y bydysawd. Mae felly yn gwrthod darlun o fydysawd sydd â'i barhad yn ddibynnol ar ddeallusrwydd sy'n gynhenid ymhlyg wrth wybodaeth dechnegol, gyfrifiadurol ac amhersonol, yn hytrach nag ymwybod sy'n ynghlwm wrth bersonau. Rhaid i unrhyw ddyfodol beiblaidd i'r cosmos fod yn bersonol. Nid yw hyn yn golygu, o angenrheidrwydd, mai bodau dynol yw nod terfynol a chyflawn creadigaeth Duw, mai ni yw penllanw bwriadau Duw. Ond y mae'n golygu y bydd y penllanw hwnnw mewn rhyw ystyr na wyddom ni – yn wir, na allwn wybod – yn bersonol.

Yn ail, y mae Barbour yn dadlau fod eschatoleg feiblaidd yn gweld mai drwy waith Duw personol y cyflawnir popeth yn y dyfodol. Y gred feiblaidd, Gristnogol yw bod Duw ar waith ar hyd aeonau maith hanes y bydysawd yn creu ac yn ail-greu, yn bywhau ac yn adfywio. Rhan o gyffro'r gred Gristnogol yn Nuw yw ein bod yn rhan, ond rhan yn unig, o'r arbrawf cosmig y mae Duw yn ei gynnal mewn bydysawd (neu fydysawdau) sy'n adlewyrchu'r gogoniant dwyfol:

> Cyfnod yn y creu parhaol . . . yw dyfodol y cosmos . . . Byddai'n enbyd o ddyn-greiddiol neu'n anthropoganolog inni dybio mai ni yw nod neu unig amcan y creu. Y mae cyfnod anferth ar gael ar gyfer y rhan hon o'r arbrawf cosmig i barhau. Yn y cyfamser, ceir heriau ystyrlon ar gyfer gweithredu yn ystod ein bywydau ni, yn fwy na dim, i weithio tuag at gymdeithas ar y blaned hon sy'n gyfiawn a chynaliadwy . . . Pwy all ddweud pa gyfyngiadau sydd ar y posibiliadau newydd sydd ar gael i Dduw yn y cylch cosmig hwn neu mewn cylchoedd cosmig eraill neu mewn parthau eraill o'r cread?[25]

Awgryma Polkinghorne hefyd rai cyfeiriadau ar gyfer y dyfodol.[26] Yn un peth, y mae'n ymateb gyda rhyfeddod i ddatganiad y diwinydd Cristnogol, Macquarrie, sy'n tybio fod y bydysawd yn mynd ar ei ben i ddifancoll.[27] Byddai hynny 'yn gyflwr mor negyddol fel y gellid dadlau ei fod yn gwrthbrofi'r ffydd Gristnogol ac yn dinistrio'r gobaith Cristnogol'. I Polkinghorne,

> Bydd yn rhaid i obaith terfynol ddibynnu ar realiti terfynol, (wedi ei wreiddio) yn y Duw tragwyddol ei hun ac nid yn ei greadigaeth . . . Yr hyn sydd yn y fantol yw ffyddlondeb Duw a difrifoldeb tragwyddol agwedd Duw at y cread. Yr allwedd yw atgyfodiad Iesu: Dyma ddechrau oddi fewn i hanes ar broses y mae ei chyf-lawniad y tu hwnt i hanes pan fydd tynged y ddynolryw a thynged y cread yn cael eu cyflawni ynghyd, yn rhydd oddi wrth lygredd oferedd (Rhufeiniaid 8:18–25). Cawn ein gyrru yn ôl at Dduw yn unig fel sylfaen gobaith terfynol . . . gan ddisgwyl gweithred waredol sy'n trawsnewid popeth.[28]

I grynhoi

Dadl y bennod hon yw bod damcaniaethau a honiadau cosmoleg a ffiseg gyfoes yn medru bod yn hollol gyson â ffydd mewn bod dwyfol tragwyddol sydd â'i egni a'i bwrpas yn elfennau hanfodol yn harddiad a pharhad y bydysawd hwn, ac unrhyw fydysawdau a'i rhagflaenodd ac a fydd yn ei ddilyn. Credwn y gall Cristion o argyhoeddiad beiblaidd ac efengylaidd ddal i gyffesu, yng ngeiriau Credo Nicea-Caergystennin, gred 'mewn Un Duw, y Tad Hollalluog, Creawdwr y nefoedd a'r ddaear'. Y mae'r Eglwys Gatholig Rufeinig yn ogystal â llawer o ddiwinyddion efengylaidd wedi datgan nad ydynt yn gweld unrhyw wrthdaro cynhenid rhwng Damcaniaeth y Glec Fawr a ffydd mewn Duw sy'n Grëwr a Chynhaliwr pob peth. Yn wir, fel y gwelsom, y mae'r dehongliadau gwyddonol mwyaf diweddar o Ddamcaniaeth y Glec Fawr yn dadlau dros ddechreuadau o ddim a gellid dehongli hyn fel casgliad gwyddonol sy'n gyson â'r athrawiaeth Gristnogol draddodiadol fod Duw wedi creu'r byd *ex nihilo*, sef, o ddim. Nid yw, wrth gwrs, yn brawf, mewn unrhyw fodd, fod grym dwyfol y tu ôl i'r Glec Fawr a dybir rhoddodd fod i fydysawd (neu, efallai, i fydysawdau) ond gall rhywun o ffydd ddirnad egni a phwrpas grasol Duw y tu cefn i'r dechreuadau hyn.

Yn yr un modd, gellir gweld yr Egwyddor Anthropig sef, bod grymoedd a chyflyrau sylfaenol y bydysawd yr ydym yn rhan ohono yn gydnaws â, yn wir yn angenrheidiol ar gyfer, bodolaeth bodau dynol ar y ddaearen hon, fel tystiolaeth bellach o gydweddiad rhwng y meddwl Cristnogol a'r meddwl gwyddonol. Fel y gwelwyd, y mae rhai – gyda chyfiawnhad – wedi credu mai dadl gron yw hon, ond hyd yn oed os cydnabyddwn y gwendid posibl hwn, y mae yma arwyddion, a dweud y lleiaf, fod y bydysawd wedi esblygu ar hyd biliynau blynyddoedd ei hanes mewn modd sy'n gydnaws â'n bodolaeth ni yma ac sy'n adlais, felly, o'r weledigaeth feiblaidd fod y ddynolryw yn cynrychioli un o'r uchafbwyntiau (os nad yr uchafbwynt) i'r pwrpas dwyfol.

Agwedd bwysig o'r weledigaeth Gristnogol am Dduw ac am ei gread yw bod unoliaeth amcan a phwrpas i'w ganfod yng nghanol holl amrywiaeth cyfoethog y bydysawd, fel y cafodd ei ddeall a'i ddatgelu drwy ymdrechion ffisegwyr, cosmolegwyr a biolegwyr. Gwelsom sut y medr y Ddamcaniaeth Tannau fod, o leiaf, yn arwydd o'r unoliaeth cyfannol cynhenid hwnnw. Dyma ddamcaniaeth (neu'n well, efallai, casgliad o ddamcaniaethau) sy'n cynnig addewid am ddod â damcaniaethau sy'n ymddangos fel petaent mewn gwrthdrawiad â'i gilydd at ei gilydd i fod yn ddamcaniaeth popeth ac sy'n cynnig esboniad o'r disgyrchiant cwantwm sydd, yn ôl cosmolegwyr, yn ensyniad angenrheidiol i esbonio'n ddigonol ddechreuadau'r bydysawd. Dyma ddechrau ymestyn tuag at fedru cyffesu undod Duw ac undod y greadigaeth heb fradychu naill ai'r traddodiad Cristnogol na chosmoleg gyfoes.

Wrth gwrs, nid yw hynny'n golygu fod naill ai'r dasg ddiwinyddol neu'r ymchwil gwyddonol yn syml a di-ddryswch. Nid yw diwinyddiaeth na gwyddoniaeth yn hawlio hynny. Y mae cymhlethdod yn elfen gynhenid yn y ddwy ddisgyblaeth hyn. Tasg cyfathrebu effeithiol yn y maes hwn yw ceisio deall natur y cymhlethdodau hyn a'u cyflwyno mewn modd sy'n gwneud cymaint o synnwyr â phosibl i'r sawl sy'n agored i her a chyffro'r meddwl cyfoes. Gall Damcaniaeth Chaos, sy'n cydnabod fod cymhlethdod cynhenid yng ngwead y bydysawd, a bod i'r cymhlethdod hwnnw ei nodweddion annisgwyl a phellgyrhaeddol ei hun, gyfrannu'n helaeth at y dasg ddiwinyddol o geisio deall meddwl Duw a rhoi mynegiant cyfoes i'r dirgelwch sy'n gynhenid yn natur a phwrpas Duw.

Y tu cefn i'r holl drafodaeth hon am oblygiadau damcaniaethau gwyddonol am ddechreuadau a natur y bydysawd parthed ein cred mewn Duw, y mae camddealltwriaeth sylfaenol sy'n aml yn nodweddu'r dadleuon rhwng gwyddonwyr a diwinyddion. Man cychwyn llawer gwyddonydd enwog sydd wedi ysgrifennu'n feirniadol am ddaliadau Cristnogol yw rhagdybio fod Cristnogion (a dilynwyr crefyddau eraill) yn credu mewn Duw am eu bod yn credu fod yr ensyniad o Dduw yn angenrheidiol i esbonio bodolaeth, natur a phwrpas y bydysawd(au) sy'n bodoli. Gan nad yw gwyddoniaeth yn medru profi bodolaeth Bod Dwyfol sy'n gynllunydd deallus a, bellach, bod damcaniaethau cosmolegol yn cynnig esboniadau digonol o darddiadau'r bydysawd, honnir nad oes angen dyfalu bodolaeth Crëwr doeth i esbonio cychwyniadau'r bydysawd. Felly, yn ôl y ddadl hon, nid oes angen credu mewn Duw ac ni ddylid credu mewn Duw nad oes unrhyw brawf gwyddonol o'i fodolaeth.

Camddealltwriaeth yw hyn. Nid yw Cristnogion yn credu mewn Duw am ei fod yn angenrheidiol nac am y gellir profi bodolaeth Bod Dwyfol. Credir mewn Duw a ddatguddiwyd yn Iesu Grist fel ffynhonnell a phwrpas y bydysawd (*cosmos* yw term y Testament Newydd), ac am y gellir dirnad gogoniant a rhyfeddod Duw yn y bydysawd ac yn y bywyd sydd ynddo ar arno. Felly, nid gwrthbrofi bodolaeth Duw y mae darganfyddiadau a damcaniaethau ffiseg a chosmoleg gyfoes ond, yn hytrach, dyfnhau a chyfoethogi'n dirnadaeth o'r Duw Cristnogol. Nid bygythiad i ffydd yw gwyddoniaeth felly ond cyfrwng, ymhlith cyfryngau eraill, i gyfoethogi ffydd.

Os gofynnwn, i gloi, a oes dyfodol i'r greadigaeth, y tebygrwydd yw bod y rhan fwyaf ohonom, heb yn wybod i ni efallai, yn gofyn cwestiwn sydd â llawer haen o ystyr iddo. Byddai'r rhan fwyaf ohonom yn ei chael yn anodd gwahanu dyfodol y bydysawd oddi wrth ein dyfodol ni'n hunain. Os daw'r bydysawd i ben beth am fy nyfodol i? Bydd eraill ohonom yn meddwl yn bennaf am y ddaearen hon y mae dynolryw yn trigo arni. Pryder eraill fydd dyfodol Duw yn wyneb y posibilrwydd o ddifodiant y bydysawd hwn a phob bydysawd arall all ddyfod i fod ar ôl hyn. Gwelsom yn y bennod hon fod y dystiolaeth wyddonol, fel y dystiolaeth ddiwinyddol, yn amwys a chymhleth. Byddai rhai gwyddonwyr yn dadlau dros ddyfodol lle mae'r planedau yn ein galaeth ni yn parhau i symud yn bellach a phellach oddi wrth ei gilydd, ac yn bellach a phellach oddi wrth oleuni a gwres yr Haul. Canlyniad y tywyllwch anorfod hwn fyddai difodiant pob bywyd gan gynnwys, mae'n debyg, pob ymwybyddiaeth o'r bydysawd yn ei anferthedd. Byddai eraill, sy'n coleddu'r ddamcaniaeth sy'n honni mai un bydysawd ymhlith bydysawdau aneirif yw'n bydysawd ni, yn gweld y dyfodol nid yn gymaint yn nhermau'n bydysawd presennol ni ond yn nhermau bydysawdau na ddaethant i fod eto ac na wyddom felly a fydd eu nodweddion cynhenid yn caniatáu bywyd sy'n ymwybodol o'i amgylchfyd ac sy'n medru dirnad rhywbeth o'r meddwl dwyfol.

Ond byddai ffydd Gristnogol sy'n dal i gredu yn y bwriad a'r meddwl dwyfol, am ddweud, yn wyneb yr holl bosibiliadau hyn, fod Duw 'o dragwyddoldeb i dragwyddoldeb' ac na dderfydd Duw beth bynnag fydd tynged y byd hwn ac unrhyw fydysawdau a ddaw i fod yn y dyfodol. Os oes gennym ymrwymiad i'r meddwl terfynol yr ydym ni yn ei alw yn Dduw yna nid oes terfyn ar bosibiliadau'r dyfodol. Yng ngeiriau Ward,

> Y mae'n gyfrifoldeb dynol i gyflawni'r pwrpas dwyfol ac felly y mae'n ofynnol ein bod yn gweithio dros gadwraeth y Ddaear a'i ffurfio i fod yn drigfan lle gall deall, prydferthwch a chyfeillgarwch ffynnu. Ond hyd yn oed os methwn ni yn y dasg hon, ac er y bydd yn y byd hwn drasiedi posibiliadau na wireddwyd a phrydferthwch a anharddwyd, gellir eto gyflawni'r nod terfynol mewn bydoedd o fodolaeth tu hwnt i'r byd presennol . . . Mewn modd penodol gwyddonol, y mae'r fath weledigaeth grefyddol o'r cosmos yn bosibl . . . Yn y diwedd, fodd bynnag, heb brofiad personol o'r meddwl trosgynnol a heb unrhyw dystiolaeth drwy brofiad o weithgarwch y fath feddwl mewn hanes (a byddem ni, fel awduron, am ychwanegu, hanes y bydysawd hwn a phob bydysawd arall) bydd hyn yn parhau yn ddim mwy na dyfaliad . . . Bydd troi dyfaliad yn rym sy'n trawsnewid bywyd yn gofyn am ymrwymiad angerddol, wedi ei lunio mewn sicrwydd goddrychol (ond nid mewn anwybodaeth lwyr), o'r gorau y gallwn ni wybod.[29]

Y mae'r bennod hon, a'r gyfrol hon, yn anelu at fod yn gyfraniad at yr 'ymrwymiad angerddol' hwn.

4

Siawns, Cynllun ac Anghenraid

Y datblygiad allweddol, a ddanfonodd ffiseg yr ugeinfed ganrif ar ei thaith, oedd damcaniaeth Max Planck (1858–1947) y gellir esbonio ymddygiad egni electromagnetig (pelydredd) os rhagdybir bod ymbelydredd yn cael ei allyrru, neu ei amsugno, mewn pecynnau egni a alwodd Planck yn *quantum* (lluosog: *quanta*) – cwantwm yn y Gymraeg – yn hytrach nag yn nhermau ffrwd barhaol o egni.[1] Dyma gychwyn ffiseg cwantwm. Derbynnir y ddamcaniaeth hon yn gyffredinol gan ffisegwyr bellach er bod darganfyddiadau a datblygiadau'r ugeinfed ganrif a'r unfed ganrif ar hugain wedi ymestyn y ddamcaniaeth ac wedi ychwanegu gronynnau a phelydrau nad oedd Planck yn ymwybodol ohonynt.[2] Y mae ffiseg cwantwm wedi cynnig modd chwyldroadol o ddeall strwythur atomau a'r modd y maent yn adweithio â'i gilydd i ffurfio moleciwlau. Dyma yw sail cemeg gyfoes yn ogystal â biocemeg, sef, yr astudiaethau o'r moleciwlau a'r adweithiau sy'n greiddiol i organebau byw ac sydd, felly, yn sylfaenol i bob ymdriniaeth o iechyd neu afiechyd pobl, anifeiliaid a phlanhigion. Nid dyma'r man i fanylu ar y datblygiadau hyn ond dylid sylwi ar ddwy enghraifft o'r modd y mae ffiseg cwantwm wedi herio ffiseg glasurol ac felly wedi trawsnewid ein dealltwriaeth o gemeg a biocemeg.

Realaeth

Credwyd bod damcaniaethau clasurol Newtonaidd yn disgrifio'r byd fel y mae. Ystyriwyd bod pwysau, cyflymder ac yn y blaen yn nodweddion gwrthrychol o'r byd real. Bu i ffiseg yr ugeinfed ganrif barhau i ddadlau ei bod yn dal yn amhosibl dychmygu a disgrifio natur wirioneddol y byd materol. Er enghraifft, mewn rhai amgylchiadau ymddwyn goleuni fel gronynnau (sef, ffotonau); bryd arall ymddwyn fel ton ddi-dor o egni. Felly, y mae ffiseg yr ugeinfed ganrif wedi cyfnewid deuoliaeth ton-gronyn am fodel realaeth y ddamcaniaeth Newtonaidd. Roedd y model Newtonaidd yn meddwl am realaeth yn nhermau deddfau symudedd Newton ond bellach nid yw'r deddfau hyn yn ddigonol i gynnig esboniad llawn. Canlyniad hyn fu Egwyddor Cyfatebolrwydd, sy'n hawlio ei bod yn bosibl dal ynghyd ddau fodel ymddangosiadol anghymodlon o realaeth gymhleth er mwyn rhoi cyfrif am ymddygiad y ffenomen.[3] Y mae'r ateb a geir pan geisir mesur ymddygiad gronyn yn ddibynnol ar y modd y mae'r mesurydd yn mesur ac ar y math ar gwestiwn a ofynnir: ar brydiau, er enghraifft, y mae electron yn dangos ymddygiad sy'n nodweddiadol o ronyn, ond bryd arall y mae'n dangos ymddygiad sy'n nodweddiadol o don. Nid yw hyn yn golygu bod electron yn ronyn ac yn don. Yn hytrach, golyga fod y model disgrifiadol o ronyn a'r model disgrifiadol o don, y naill fel y llall, yn cynnig esboniadau defnyddiol o ymddygiad electron.

Cyfyd hyn gwestiwn sylfaenol i ddiwinyddiaeth: ydyw'r posibilrwydd hwn o fedru defnyddio dau eglurhad oherwydd nad ydym, o leiaf hyd yn hyn, wedi medru deall y bydysawd (naill ai oherwydd ein deallusrwydd cyfyngedig neu oherwydd ein technegau arbrofol cyfyngedig), neu am mai dyma sut y mae pethau mewn gwirionedd? Os mai dyma fel y mae pethau, beth yw lle Duw? Os oes yng nghraidd realaeth fwy nag un esboniad o'r hyn sy'n digwydd, a hynny am fod deuoliaeth sylfaenol yng ngwraidd bodolaeth y bydysawd, ydyw'n bosibl bellach credu mewn Duw sy'n rheoli'r cyfan ac sy'n ffynhonnell yr esboniad terfynol o'r hyn sy'n digwydd? Cwestiwn sylfaenol arall yw: sut mae gwybod beth sy'n real a beth yw realaeth? Os mai methiant yn ein gallu i arsylwi a mesur realaeth sy'n cyfrif am orfod cynnig mwy nag un esboniad o natur realaeth, yna gallwn ragweld y dydd pan fyddwn yn medru cynnig esboniad cyflawn a digonol. Ar y llaw arall, os mai deuoliaeth gynhenid y bydysawd sydd yn ein gorfodi i gynnig dau esboniad am ymddygiad realaeth, yna mae'n dealltwriaeth o natur y greadigaeth yn gynhenid gymhleth a rhaid inni ddygymod â'r cymhlethdod hwn.

Cynigiwyd nifer o atebion i'r cwestiwn: sut y mae cysylltu'r ensyniadau hyn mewn ffiseg cwantwm â'r byd real? Awgryma Ian Barbour dri posibilrwydd yr ydym eisoes wedi eu hystyried wrth edrych ar fodelau (ym Mhennod 2):

(a) Yn ôl *Realaeth Glasurol* y mae damcaniaethau yn ddisgrifiadau o natur fel y mae ynddi'i hun, a hynny'n annibynnol ar yr arsylwedydd. Y mae modelau yn 'gopïau (*y gair allweddol*) o'r byd sy'n ein galluogi i ddychmygu strwythur anweledig y byd mewn termau clasurol'.[4]

(b) Yn ôl *Offerynoledd*, dyfeisiau dynol cyfleus yw damcaniaethau. Dyfeisiau i'n helpu i ddeall ydynt ac nid ymgais i ddisgrifio'r byd yn llythrennol.

(c) Y mae *Realaeth Feirniadol* yn fath ar gyfaddawd rhwng y ddau safbwynt hyn: y mae damcaniaethau yn ddisgrifiadau rhannol o agweddau cyfyngedig ar y byd *fel y mae'n rhyngweithio â ni*. Y maent yn ein helpu i ddeall yr hyn a welwn, ond nid ydynt yn ein galluogi i reoli'r hyn sydd yn digwydd.

O safbwynt ffiseg gyfoes, yn ogystal ag o safbwynt diwinyddiaeth Gristnogol sydd am gymryd datblygiadau gwyddonol yr ugeinfed ganrif o ddifri, y mae realaeth feirniadol yn cynnig fframwaith ar gyfer deall y byd. Y mae gwyddoniaeth yn rhoi i ni iaith a delweddau sydd yn ein helpu i esbonio'r byd a ddaeth i fod, yn ei holl gymhlethdod, drwy law Duw'r Crëwr. Gwneir hyn heb mewn unrhyw fodd wadu'r hyn y mae ffydd yn ei datguddio ac yn ei dysgu i ni.

Cyfatebolrwydd

Gallwn holi a ydyw'r syniad o gyfatebolrwydd (derbyn dau fodd o esbonio realaeth heb fod y naill yn gwrthddweud y llall), yn cynnig fframwaith neu gyfiawnhad dros feddwl fel hyn mewn diwinyddiaeth hefyd. Er enghraifft, gwelai John Hick gyflenwol-rwydd (sef, *complementarity*) rhwng crefyddau gwahanol.[5] Fel y mae ffisegwyr yn gweld cyfatebolrwydd rhwng ffyrdd gwahanol o ddeall natur ac ymddygiad mater ffisegol y bydysawd, felly hefyd y gellir deall crefyddau gwahanol yn nhermau cyfatebol-rwydd rhwng eu ffyrdd gwahanol o ddeall Duw ac o gredu yn Nuw. Yn y modd hwn, rydym yn agored i blwraliaeth o grefyddau sy'n cynnig ffyrdd gwahanol tuag at y gwirionedd dwyfol. Gwelodd eraill yma fodel Cristolegol: gellir deall yr ymgnawdoliad yn nhermau dwy natur Crist – y dynol a'r dwyfol – yn gyflenwol i'w gilydd.

Erys y cwestiwn: ai cyfatebiaeth yw cyflenwoldeb mewn diwin-yddiaeth neu a oes iddo elfen o realiti ontologaidd? Ai modelau a geir yma neu agweddau gwahanol ar realaeth Duw? Ar y naill law, gellir defnyddio'r syniad hwn i geisio deall agweddau gwrth-gyferbyniol ar realaeth Duw; ar y llaw arall, y mae perygl gor-bwysleisio'r egwyddor hon mewn cyd-destun diwinyddol a cheisio drwy hyn i gyfiawnhau neu esbonio gwrthdaro rhwng safbwyntiau diwinyddol ac athrawiaethol na ellir mewn gwirionedd eu mynegi mewn athrawiaeth unol am natur a gwaith Duw.

Penderfyniaeth

Gwelsom fod ffiseg Newtonaidd yn credu fod y byd yn cael ei reoli gan gyfreithiau digyfnewid. Gwrthodai ffiseg yr ugeinfed ganrif y rhagweladwyedd hyn yn llwyr. Rhoddwyd tebygolrwydd yn ei le. Y mae Damcaniaeth Cwantwm yn honni nad yw'n bosibl sôn ond am y tebygolrwydd fod electron yn ymddwyn mewn ffordd arbennig: os diffinnir ble mae electron ni ellir rhagfynegi gyda sicrwydd pa mor gyflym y mae'n symud (hynny yw, ei fomentwm); os rhagfynegir y momentwm ni ellir diffinio ei leoliad.

Dyma Egwyddor Ansicrwydd Heisenberg: ni ellir rhagfynegi lleoliad yn ogystal â momentwm unrhyw ronyn ar yr un foment.[6] Y mae'n amlwg fod i hyn oblygiadau sylfaenol. Os na ellir rhag-fynegi ymddygiad protonau ac electronau ac yn y blaen, onid yw'n wir na ellir rhagfynegi'n fanwl yr hyn a fydd? Os felly, onid yw'n golygu mai chaos sy'n trechu? Nac ydyw, wrth gwrs! Y mae rhagfynegiadau ystadegol yn dal yn ddilys: gallwn ddal i ddweud mai dyma'r hyn sydd fwyaf tebygol o ddigwydd, er ei bod yn bosibl na fydd yn digwydd. Ar y cyfan, y mae'r bydysawd yn ymddangos fel petai'n ymddwyn yn unol â deddfau y gellir eu rhagfynegi, ond ni ellir bod yn sicr y bydd yn parhau felly.

Unwaith eto, rhaid gofyn: ydyw'r ansicrwydd hwn yn ganlyniad ein gwybodaeth gyfyngedig neu ai dyma fel y mae pethau mewn gwirionedd? Os mai dyma yw'r realaeth wrthrychol, beth ddywed hyn am ein dealltwriaeth o Dduw a'r dyfodol? Ai canlyniad cyn-llunio neu siawns yw'r bydysawd? Beth yw achos yr ansicrwydd hwn?

Cynigiwyd nifer o esboniadau.[7] Yn gyntaf, gellir awgrymu nad yw'n gwybodaeth yn ddigonol eto. Wrth i ddarganfyddiadau gwyddonol ddatgelu mwy a mwy o wybodaeth am 'gyfrinachau' mater down i ddeall mwy. Gallwn wedyn esbonio'r hyn sydd y tu hwnt i ni, ar hyn o bryd. Felly, nid ansicrwydd cynhenid sydd gennym ond ansicrwydd ymddangosiadol sy'n gynnyrch diffygion yn ein gwybodaeth ffisegol.

Yn ail, y mae ein methiant i fesur momentwm a lleoliad gronyn-nau yn ganlyniad cyfyngiadau mewn technegau mesur ac arbrofi. Pan fyddwn wedi datblygu technegau gwell bydd yn haws rhag-fynegi ymddygiad mater a mesur nifer o nodweddion gronynnau sydd y tu hwnt i ni ar hyn o bryd.

Yn drydydd, nid methiant gwybodaeth na thechnoleg yw'r 'broblem' ond, yn hytrach, bod ansicrwydd yn agwedd wrthrychol gynhenid o natur: 'Nid yn anhysbys y mae'r dyfodol. Nid yw eto "wedi ei benderfynu". Y mae mwy nag un posibilrwydd yn agored a chyfle am newydd-deb na ellir ei ragfynegi'.[8] O dderbyn y saf-bwynt hwn rhaid gwrthod y ddau esboniad blaenorol. Nid arwydd o fethiant yw Egwyddor Ansicrwydd ond disgrifiad o realaeth ffisegol gronynnau elfennol mater sydd ag ansicrwydd yn nodwedd hanfodol ohono.

O dderbyn y casgliad hwn, beth yw'r goblygiadau diwinyddol? Ydyw dyfodol agored, dyfodol 'nad yw eto wedi ei benderfynu' (yng ngeiriau Barbour uchod), yn gyson â ffydd yn Nuw? Ydyw ffydd yn Nuw yn gofyn am gredu fod 'y dyfodol yn hysbys i Dduw' hyd yn oed os nad yw'n hysbys i ni ac na allwn, yng ngoleuni Egwyddor Ansicrwydd, ei ddirnad na'i ragfynegi? Os nad yw'r dyfodol 'wedi ei benderfynu', ydyw'n hysbys i Dduw? Ydyw'n bosibl i Dduw wybod y dyfodol (hyd yn oed pan mae ansicrwydd yn hanfodol i'r dyfodol hwnnw) gan fod Duw yn gweld y darlun cyfan, terfynol ar waetha'r ffaith fod y camau unigol ansicr ac anhraethol heb eu penderfynu ac felly'n anhysbys i ni? Os yw'r dyfodol yn hysbys i Dduw (er nad yw'r dyfodol hwnnw, yn ôl Damcaniaeth Cwantwm, eto wedi ei benderfynu), beth mae hyn oll yn ei ddweud am ein cred fod Duw yn llywodraethu 'dae'r a nef' (yn ôl emyn David Charles)?

Bydd yn rhaid i ni ddychwelyd at y cwestiynau hyn ar ddiwedd y gyfrol hon, ond am y tro, gallwn ddweud ein bod yn credu ei bod yn bosibl derbyn Egwyddor Ansicrwydd (a derbyn, felly, nad yw'r dyfodol wedi ei benderfynu eto) heb wadu'r ffydd fod Duw yn teyrnasu. Y cwestiwn tyngedfennol yw nid, a ydyw Duw yn teyrnasu, ond, beth y mae'n ei olygu i gyffesu, yn wyneb ffiseg gyfoes, mae Duw yn teyrnasu?

Perthnasolrwydd

Mewn ffiseg glasurol y mae amser a gofod yn wahanadwy ac absoliwt ym myd natur o'n cwmpas. Nid yw lleoliad yn rhywbeth sy'n ddibynnol ar amser, ac nid yw amser, i unrhyw wrthych, yn ddibynnol ar ei leoliad. Y mae gan bob gwrthrych ei leoliad pendant mewn gofod, ac y mae amser yn rhedeg yn gyson ym mhrofiad pawb. Mae perthnasolrwydd yn herio hyn. Albert Einstein a ddatblygodd ddwy ddeddf perthnasolrwydd.[9]

(i) Perthnasolrwydd Arbennig

Egwyddor sylfaenol Perthnasolrwydd Arbennig yw bod cyflymder goleuni yn gyson i bob arsylwedydd. Hynny yw, y mae goleuni yn symud gyda'r un cyflymder ym mhob sefyllfa ac amgylchiad ble bynnag mae'r arsylwedydd a beth bynnag yw amgylchiadau'r corff sy'n symud ym mhrofiad yr arsylwedydd penodol hwnnw. Felly, y mae digwyddiad yn ymddangos yn wahanol mewn un fframwaith ag y mae mewn fframwaith arall, ac arsylwedydd yn y naill yn ei weld yn wahanol i arsylwedydd yn y llall. Dibynna'r cyfan ar sefyllfa'r arsylwedydd.

Y mae i hyn nifer o oblygiadau. Yn un peth, bydd y rhaniad rhwng gorffennol a dyfodol yn amrywio ymhlith arsylwedyddion. 'Gan nad oes cydamseroldeb cyffredinol (neu absoliwt) na phresennol cyffredinol yn gwahanu gorffennol a dyfodol . . . gall fod rhai digwyddiadau sydd yn y gorffennol i un arsylwedydd fod yn y dyfodol i arsylwedyddion eraill'.[10] Wedyn, un o'r casgliadau pwysicaf o'r ddamcaniaeth hon yw bod perthynas rhwng pwysau (neu fàs) (m) ac egni (e) (sy'n gynnyrch cyflymder) yn unol â'r hafaliad (e = mc^2), lle mae 'c' yn dynodi cyflymder cyson goleuni. Hynny yw, y mae pwysau'n cynyddu wrth i egni gynyddu. Dylid nodi mai ar gyflymder sy'n dynesu at gyflymder goleuni y mae'r effaith hwn yn arwyddocaol. Casgliad pellgyrhaeddol arall yw nad yw gofod ac amser yn annibynnol ar ei gilydd ond yn unedig mewn continwwm gofod-amser. Hynny yw, o ystyried yr agweddau hyn (ac agweddau eraill na soniwyd amdanynt yma), yr honiad sylfaenol yw nad oes dim sy'n absoliwt heblaw am gyflymder goleuni.

(ii) Perthnasolrwydd Cyffredinol
Ymestyn hyn Ddeddf Perthnasolrwydd Arbennig i gynnwys effeithiau disgyrchiant. Ni feddylir mwy am amser a gofod yn parhau am byth mewn modd llinellol: maent nid yn unig yn effeithio ar, ond yn cael eu heffeithio gan, bob peth sy'n digwydd yn y bydysawd. 'Y mae'r hen gysyniad o fydysawd hanfodol digyfnewid wedi ei ddisodli gan y cysyniad o fydysawd deinamig sy'n ehangu ac sy'n ymddangos fel petai wedi ei gychwyn amser penodol yn ôl ac a allai ddod i ben mewn amser penodol yn y dyfodol'.[11]

Wrth drafod y damcaniaethau hyn o safbwynt diwinyddol, y mae Barbour yn gwrthod tri honiad tybiedig a wneir ar sail perthnasolrwydd y mae'n amheus ohonynt.[12] Yn ôl yr honiad cyntaf, y mae amser yn ffug a digwyddiadau wedi eu rhag-benderfynu. Dadl Barbour yw y gall ymddangos yn benderfyniaethol i ddweud fod yr hyn sydd yn y dyfodol i un arsylwedydd yn y gorffennol i un arall, ond ni all hyn fod yn wir am ddigwyddiadau cyd-gysylltiedig gan na all digwyddiad ragflaenu ei achos.

Yr ail honiad a wrthodir gan Barbour yw mai 'Peth ymenyddol yw realiti . . . nid ydyw realiti'n bod ond mewn perthynas ag arsylwedydd'. Neu o roi hyn mewn geiriau eraill, 'y meddwl dynol sy'n ffurfio realiti'r byd'. Ni ellir hawlio mai ffrwyth dychymyg meddyliol yw realaeth. Y mae'r cyfrifiadur a ddefnyddir i lunio'r bennod hon yn real, gan y caiff y darllenwyr gyfle un dydd i ddarllen y geiriau hyn drostynt eu hunan, a thrwy hynny brofi nad cynnyrch dychymyg yw llunio geiriau ar y sgrin y foment hon.

Y trydydd honiad y mae'n ei wrthod yw bod 'perthnasolrwydd yn cefnogi perthynolaeth'. Canlyniad yr honiad hwn yw'r duedd i feddwl nad oes dim egwyddor na chred (foesol neu grefyddol, er enghraifft) sy'n absoliwt bellach, gan nad oes dim – heblaw cyflymder goleuni – yn absoliwt. Y mae Barbour yn dra amheus o'r duedd i ddadlau dros berthynolaeth foesol neu grefyddol ar y sail nad oes dim yn absoliwt 'yn ôl gwyddoniaeth' a hynny nid yn lleiaf am fod nodweddion absoliwt o hyd (er enghraifft, cyf-lymder goleuni).

Gellir dadlau ar sail perthnasolrwydd nad yw amser na realiti na dim arall yn arhosol, yn derfynol nac yn absoliwt ac o ganlyniad na allwn fod yn sicr o ddim byd. Dadl ffals yw hon. Nid yw damcaniaeth Einstein yn gwadu fod realaeth yn real. Dadlau a wna yn hytrach fod yn rhaid i ni ddeall y realaeth hon yn wahanol i'r modd y deallwn realaeth yn arferol a bod yn rhaid i ni ystyried y modd y mae amser a gofod, dirnadaeth ac ymwybyddiaeth yn wahanol i bobl wahanol mewn amgylchiadau gwahanol. Nid yw hynny'n golygu nad yw'n bosibl bod yn sicr o ddim oll.

Ansicrwydd a pherthynolaeth

Ymddengys fod y ddwy ddamcaniaeth buwyd yn ymdrin â hwy uchod yn gwrthddweud ei gilydd. Mewn byd o ansicrwydd nas gellir ei ragfynegi y mae'r dyfodol yn agored ac y mae gennym ryddid ewyllys. Mewn byd o berthnasolrwydd y mae'r hyn sydd yn y dyfodol mewn un fframwaith yn bresennol mewn fframwaith arall. Felly y mae'r dyfodol eisoes wedi digwydd. Felly, nid wyf yn rhydd gan fy mod yn mynd tuag at ddyfodol sydd eisoes wedi ei benderfynu.

Ydyw'r ddau gasgliad hyn yn rhesymegol ddilys? Pa gasgliadau diwinyddol y gallwn ddod iddynt o ganlyniad i hyn? Yr ateb syml i'r tyndra hwn yw nad yw'r naill ddamcaniaeth na'r llall, fel y gwelsom, yn herio bodolaeth a realaeth mater, na'n realaeth a'n bodolaeth ni fel bodau dynol. Yr hyn y mae'r damcaniaethau hyn yn ei honni yw bod ein profiad ni o'r byd o'n cwmpas yn dibynnu ar ein dirnadaeth fel arsylwedyddion. Os edrychwn mewn modd arbennig ar ronynnau craidd atomau gwelwn fod ansicrwydd yn nodwedd hanfodol o'u realaeth. Os edrychwn ar gydberthynas cyrff yn y gofod â'i gilydd (a dyna brif amcan damcaniaethau Einstein) fe welwn fod perthnasolrwydd yn rhan o'u hanfod. Hyd yn hyn, ni ddaethpwyd o hyd i ddamcaniaeth popeth i esbonio'r cyfan hyn mewn un ddamcaniaeth, ond nid yw hynny'n golygu na fydd hyn yn bosibl un diwrnod. Efallai fod Damcaniaeth Tannau, a ystyriwyd yn y bennod flaenorol, yn agosach na dim arall hyd yn hyn at Ddamcaniaeth Popeth. Yn y cyfamser, rhaid i ni fodloni ar dderbyn fod yr atebion a gawn o edrych ar ronynnau microsgopig neu blanedau sydd bellter annychmygol i ffwrdd, yn mynd i ddibynnu'n llwyr ar y cwestiwn y byddwn yn ei ofyn amdanynt.

Casgliadau

Y mae Barbour yn awgrymu fod ffiseg gyfoes wedi arwain at nifer o newidiadau sylfaenol. Y maent yn cynnwys chwalfa realaeth glasurol a phwyslais allweddol ar ganolrwydd yr arsylwedydd. Pwysleisia hefyd nad dadrolio sgrôl o ddigwyddiadau sydd wedi eu rhag-benderfynu yw amser ond digwyddiadau mewn hanes nas gellir eu rhagfynegi ac sy'n dod i fod mewn newydd-deb ('*the novel coming to be of unpredictable events in history*'[13]). Ar waethaf, neu efallai oherwydd, amhenderfynolaeth cwantwm, y mae rhyddid dynol yn arddangos presenoldeb newydd-deb nas gellir ei ragfynegi a'r posibilrwydd o ddyfodol agored. Yn olaf, y mae Barbour yn gwrthod yr honiad y gellir crebachu ymddygiad systemau i ymddygiad eu helfennau lleiaf. Yn hytrach, cawn ein cyfeirio gan gydberthynas a chyd-ddibyniaeth tuag at gyfanrwydd a threfn.

Casgliadau diwinyddol yw'r rhain yn gymaint â chasgliadau am natur y bydysawd rydym yn byw ynddo. Yr her i ddiwinyddiaeth yw ceisio deall y berthynas rhwng ewyllys a phwrpas y Duw sydd, yn ôl y gredo Gristnogol, wedi rhoi bod i fyd o ryfeddod a chymhlethdod, a'r newydd-deb creadigol sy'n dod i fod drwy hanes aeonau hir bodolaeth y bydysawd. Nid gwrthod un ar draul y llall yw'r her Gristnogol ond ceisio deall sut mae'r naill a'r llall yn cydblethu i'w gilydd yn y meddwl gwyddonol a diwinyddol. Cyffro'r ymchwil diddiwedd hwn am atebion i rai o gwestiynau dirdynnol pob cyfnod sydd, mewn gwirionedd, yn ysgogi gwir ddiwinydda creadigol yn y cyfnod cyfoes, diwinydda a fydd yn y diwedd yn cryfhau ac nid yn tanseilio ffydd.

5

Darwin, DNA a Duw[1]

Fel y gwelwyd ym Mhennod 1, cafodd damcaniaethau esblygiad Darwin a Wallace gryn ddylanwad ar y meddwl gwyddonol a chrefyddol yn hanner olaf y bedwaredd ganrif ar bymtheg. Parhaodd y gwrthdaro a gataleiddiwyd gan y damcaniaethau hyn trwy gydol yr ugeinfed ganrif hyd y cyfnod cyfredol. Yn hanner olaf yr ugeinfed ganrif, ychwanegwyd at y gwrthdaro gan y darganfyddiad o strwythur Asid Diocsiriboniwcleig (DNA), a'r esboniad o'i rôl mewn geneteg. Calon yr esboniad hwn oedd bod y moleciwl DNA yn ymgorffori'r côd genetig sy'n penderfynu nodweddion popeth byw. Credwyd fod nodweddion penodol yn cael eu trosglwyddo o genhedlaeth i genhedlaeth wrth i ddeunydd genetig y rhieni gyfuno â'i gilydd mewn ffyrdd amrywiol i ffurfio'r genhedlaeth nesaf. Rhoddwyd esboniad pellach o esblygiad biolegol yn nhermau mwtadiadau o'r codau genetig hyn, dros nifer o genedlaethau, mewn ymateb i ffactorau amgylcheddol ac yn y blaen. Yn ôl yr hanes, pan gyhoeddwyd yn 1953 fod James Watson a Francis Crick wedi darganfod strwythur DNA, gwaeddodd Watson eu bod wedi darganfod cyfrinach bywyd. Y mae'n amlwg fod yn y datblygiad hwn ddeunydd gwrthdaro diwinyddol. Pan ddygwyd ynghyd waith Darwin ar darddiadau (1859), gwaith diweddarach gan Gregor Mendel (1866) ac eraill ar broses etifeddiaeth enetig, a rôl DNA, gwelwyd eu bod yn cynnig esboniad gwyddonol o darddiadau, datblygiad cymhlethdod ac amrywiaeth ffurfiau bywyd a oedd yn gyflawn a dilys.

Credai Watson ei hun fod y darganfyddiad hwn yn her i grefydd ac yn dangos mai sail gyfan gwbl faterol sydd i fywyd. Y mae neo-Ddarwiniaid megis Richard Dawkins yn cytuno â'r farn hon ac yn hawlio fod yr esboniadau genetig hyn yn peri fod cred yn Nuw yn ddiangen. (Dyma'r gair y mae Dawkins ei hun yn dueddol o'i ddefnyddio: diangen ac nid anghywir, amhosibl neu anner-byniol.) Y mae Dawkins yn hawlio mai pwrpas bywyd yw parhad DNA. Ar y sail hon, y mae ef ac eraill sydd â byd-olwg atheistiaidd, sy'n gwrthod y posibilrwydd o Dduw, yn dadlau fod glynu at esboniad crefyddol yn golygu gwadu'r ffeithiau gwyddonol a byw ar sail celwydd.

Ganwyd Dawkins yn 1941. Daeth i enwogrwydd gyda'i lyfr *The Selfish Gene* (1976) a boblogeiddiodd y ddealltwriaeth gennyn-ganolog o esblygiad a chyflwyno cysyniad 'meme'.

Mae angen enw arnom am yr atblygydd newydd hwn, enw sy'n cyfleu'r syniad o uned o drosglwyddiad diwylliannol, neu uned o efelychiad. Daw 'mimeme' o wraidd Groegaidd addas ond dymunaf air unsill tebyg i 'gene'. Gobeithio caf faddeuant gan fy nghyfeillion yn y Clasuron os talfyrraf mimeme i meme. Os ydyw o unrhyw gysur, gellid meddwl amdano fel term yn gysylltiedig â'r cof (*memory*), neu'r gair Ffrengig *même*.[2]

Yn 1982 datblygodd y cysyniad nad oedd effeithiau ffenolegol gennyn o reidrwydd wedi eu cyfyngu i gorff yr organeb ond yn ymestyn i'r amgylchedd gan gynnwys cyrff organebau eraill, syniad a gyflwynodd yn *The Extended Phenotype* (1989).[3]

Gwyddom am Dawkins fel anffyddiwr, mae'n is-lywydd Cym-deithas Dyneiddwyr Prydain, ac yn gefnogwr brwd o'r mudiad (di-grefydd) Brights. Mae'n feirniad di-flewyn-ar-dafod o Greadaeth (*Creationism*) a chynllunio deallus. Yn 1986 dadleuodd yn ei lyfr, *The Blind Watchmaker*, yn erbyn y cysyniad o fodolaeth creawdwr goruwchnaturiol a gynigir ar sail cymhlethdod organebau: os oes creadigaeth gymhleth, rhaid bod creawdwr goruwchnaturiol a all fwriadu a chreu'r fath gymhlethdod.[4] Disgrifia'r broses esblygiadol fel un gyfatebol i wneuthurwr clociau sy'n ddall. Yn 2006 cyhoeddodd ei lyfr, *The God Delusion*, sy'n dadlau ei bod yn bur annhebyg, ar sail y dystiolaeth empeiraidd, bod creawdwr goruwchnaturiol yn bodoli ac, felly, mai rhith yw ffydd grefyddol, 'cred sefydlog gamarweiniol'.[5]

Codwyd nifer o gwestiynau diwinyddol sylfaenol gan ddadleuon Dawkins a'i debyg. Os derbynnir yr esboniad genetig a ellir credu fod i'r bydysawd bwrpas a diben? Dadleuodd Dawkins y nodweddir y bydysawd gan ddiffyg pwrpas a difaterwch, ei fod yn bodoli'n unig i atgynhyrchu ei hunan a bod pob ffurf ar fywyd, yn cynnwys bodau dynol, ar drugaredd y gweithredu dibwrpas hwn. Gwadwyd y casgliad hwn gan yr athronydd a'r diwinydd Keith Ward mewn dadl gyhoeddus â Dawkins. Dadleuodd Ward fod esblygiad yn dangos nodweddion sy'n hollol gydnaws â chred mewn Duw doeth a bwriadus, a'i bod yn bosibl i gred grefyddol ac esboniadaeth wyddonol gyfoethogi ei gilydd:

> Un o wreiddiau hanfodol cred yn Nuw yw'r ymdeimlad fod i fywyd personol werth a phwysigrwydd cynhenid. Os oes gennym ymdeimlad o'r fath, byddai'n rhesymol ac yn gyson â dealltwriaeth wyddonol gyfoes i weld y broses esblygiadol fel un sy'n anelu at ymddangosiad gwerthoedd personol, ac sydd felly'n mynegi gweithrediad bwriadus Crëwr dwyfol.[6]

Cwestiwn allweddol arall a godwyd gan ddarganfyddiad Watson a Crick oedd: i ba raddau y gellir rhydwytho popeth i'r genynnau (ac felly i gemeg). Honnwyd fod Crick wedi dadlau

> y bydd yn bosibl esbonio popeth mewn bioleg yn nhermau'r lefel islaw, ac felly i lawr hyd at y lefel atomig . . . Mae'r wybodaeth sydd gennym eisoes yn ei gwneud yn annhebygol iawn fod unrhyw beth na ellir ei esbonio yn nhermau ffiseg a chemeg.[7]

Y cwestiwn i Gristnogion, wrth gwrs, yw: i ba raddau y mae ystyr y tu hwnt i'r esboniadau ffisegol a chemegol hyn? Felly, cawn edrych yn awr ar rai o'r ymatebion Cristnogol.

Yr ymateb Cristnogol

Y mae ymatebion yr Eglwys Gatholig Rufeinig i'r dadleuon hanesyddol a chyfoes hyn yn ddadlennol. Yn Awst 1950, cyhoeddodd

y Pab Pïws XII ei Lythyr Pabyddol, *Humani generis* (Yr hil ddynol).[8]
Yr oedd Pïws XII yn Bab ceidwadol iawn, ac eto roedd y Llythyr
Pabyddol hwn yn cynnwys rhai datganiadau dadlennol iawn am
agwedd yr Eglwys tuag at ddatblygiadau gwyddonol. Yn gyntaf,
y mae'n annog fod gwyddoniaeth i'w gymryd o ddifri:

> Byddai rhoi cymaint o sylw â phosibl i'r gwyddorau hyn . . . yn
> glodfawr yn achos ffeithiau profedig; ond rhaid cymryd gofal yn
> achos damcaniaethau sydd ag iddynt elfen o sylfaen wyddonol
> ond sy'n ymwneud â'r athrawiaeth a gynhwysir yn yr Ysgrythur
> Sanctaidd neu yn y Traddodiad.[9]

Yr hyn sy'n allweddol yn y datganiad hwn yw'r modd y mae'r
Eglwys yn deall y berthynas rhwng dealltwriaeth wyddonol, a'r
gwirionedd beiblaidd ac athrawiaethol. Lle nad oes unrhyw berth-
nasedd gyda golwg ar athrawiaeth, y mae ymchwil wyddonol i
faterion a elwir gan y Pab yn 'ffeithiau profedig' i'w chymell fel
rhywbeth 'clodfawr'. Ond lle mae gwrthdaro rhwng 'damcan-
iaethau' gwyddonol a dysgeidiaeth yr Eglwys 'ni ellir mewn
unrhyw fodd â chaniatáu iddynt gael eu cydnabod'. Hynny yw,
a siarad yn gyffredinol, roedd agwedd yr Eglwys at ddamcan-
iaethau gwyddonol i'w benderfynu nid ar sail y wyddoniaeth ei
hun ond o bersbectif awdurdodol 'yr athrawiaeth a ddatguddiwyd
gan Dduw'.

Â'r Pab Pïws XII ymlaen i ystyried agwedd yr Eglwys at esblygiad.
Y mae'n datgan 'nad yw Awdurdod Dysgu'r Eglwys yn gwahardd,
yn unol â chyflwr presennol y gwyddorau dynol a diwinyddiaeth
sanctaidd, fod ymchwil a thrafod, gan bobl brofiadol yn y ddau faes,
yn digwydd mewn perthynas ag athrawiaeth esblygiad'.[10] Roedd
ei barodrwydd i gymell 'ymchwil a thrafod . . . mewn perthynas
ag athrawiaeth esblygiad' yn arbennig o arwyddocaol yn wyneb
agwedd wyliadwrus a cheidwadol yr Eglwys tuag at ddatblygiadau
gwyddonol yn y gorffennol. Yn wir, gellid dweud bod ei gefnogaeth
i'r broses o ymchwil a thrafod gwyddonol, ar yr amod nad oedd
awdurdod athrawiaethol yr Eglwys yn cael ei danseilio drwy hynny,
yn oleuedig, o gofio'r gwrthwynebiad i'r method gwyddonol a
thueddiadau moderniaeth dros y canrifoedd blaenorol.

Mewn anerchiad i'r Academi Babyddol ar Wyddoniaeth yn 1996, datganodd y Pab Ioan Pawl II, pan oedd yn sôn am rai o'r egwyddorion a gyflwynwyd yn *Humani generis*, fod 'gwybodaeth newydd yn peri na ddylid bellach ystyried damcaniaeth esblygiad fel damcaniaeth yn unig'. Cydnabu fod 'y ddamcaniaeth hon wedi gorfodi ei hunan yn gynyddol i sylw ymchwilwyr yn dilyn cyfres o ddarganfyddiadau a wnaed yng ngwahanol feysydd gwybodaeth'.[11] Fodd bynnag, bu i'r anerchiad hwn nid yn unig adeiladu ar ddealltwriaeth flaenorol yr Eglwys o ddamcaniaeth esblygiad, ond llwyddodd hefyd i ystyried mewn ffyrdd treiddgar iawn y ddealltwriaeth Gatholig o wyddoniaeth ac yn benodol ei rôl mewn perthynas â natur a tharddiadau bodau dynol.

Ond tra bod yr ymateb Pabyddol wedi bod yn gadarnhaol a chreadigol, nid dyma oedd y stori ym mhob cangen o'r Eglwys Gristnogol. Fel y gwelsom ym Mhennod 1, yn union wedi ei chyhoeddi, gwelwyd damcaniaeth esblygiad Darwin gan lawer o Gristnogion fel bygythiad i gyflwyniad Genesis o waith Duw yn creu'r bydysawd. Credwyd ei bod yn fygythiad i awdurdod y Beibl ac i wirionedd yr Ysgrythur. Roedd creadigaeth arbennig eisoes wedi'i argymell fel un esboniad ar darddiadau'r bydysawd a'r hil ddynol. Yn ôl y ddamcaniaeth hon, crëwyd pob hil yn unigol drwy weithred o greadigaeth arbennig. Gwrthododd Darwin y ddamcaniaeth hon a dadlau o blaid esboniad esblygiadol. Ond roedd creadigaeth arbennig, wrth gwrs, yn llawer mwy cydnaws â'r ddealltwriaeth Gristnogol gyffredinol am y creu yn y bedwaredd ganrif ar bymtheg. Gydag amser, derbyniwyd y term Creadaeth fel term sy'n ceisio cwmpasu'r safbwynt Cristnogol traddodiadol hwn. Yr egwyddor sy'n ganolog i'r safbwynt hwn yw y dylid cymryd bod cyflwyniad Genesis o weithred greadigol Duw yn awdurdodol, fod y dystiolaeth wyddonol a gyflwynir i gefnogi esblygiad yn amhendant ac y gellid, yr un mor ddilys, deall y 'ffeithiau' gwyddonol fel tystiolaeth o blaid esboniad o darddiadau sy'n gyson â hanes y creu yn Genesis.

Wrth i esblygiad gael derbyniad mwy cyffredinol oddi mewn i'r gymuned wyddonol, yn raddol gwelwyd Creadaeth fel fframwaith cyffredinol ymhlith y sawl a oedd yn gwrthwynebu damcaniaeth esblygiad. Daeth Creadaeth i gwmpasu nifer o ddamcaniaethau a geisiai fynegi cydweddiad rhwng y dystiolaeth wyddonol a'r adroddiadau beiblaidd. Yn y cyd-destun hwn, un o'r pynciau allweddol yw oedran y bydysawd. Y consensws gwyddonol yw bod y bydysawd wedi tarddu gyda'r Glec Fawr ryw 13.8 biliwn o flynyddoedd yn ôl. Tra bod Pab Pawl VI wedi datgan na welai unrhyw anghysondeb rhwng y damcaniaethau hyn a'r ffydd feiblaidd mewn Duw sy'n Greawdwr pob peth, honnai eraill fod y llinell amser hon yn anghyson â'r safbwynt beiblaidd. O ganlyniad, daeth Creadaeth y Ddaear Ifanc i'r amlwg, wedi ei gwreiddio mewn llythrenoledd beiblaidd digyfaddawd.[12] Ei honiad allweddol, mewn gwrthgyferbyniad llwyr â'r consensws gwydd-onol, yw bod y Ddaear yn 'ifanc', ac wedi dod i fodolaeth rhwng 6,000 a 10,000 o flynyddoedd yn ôl. Y mae deiliaid y safbwynt hwn hefyd yn honni fod pob ffurf ar organebau byw wedi eu creu gan Dduw 'yn ôl eu rhywogaeth' (Genesis 1:24–5). Gwrthodir unrhyw ddamcaniaeth sy'n tanseilio'r gred fod Duw yn uniongyrchol gyfrifol am greu pob rhywogaeth.

Safbwynt sydd â llawer yn gyffredin â Chreadaeth y Ddaear Ifanc yw Gwyddoniaeth Creadaeth, sy'n ceisio defnyddio dulliau gwyddonol ac empirig i gefnogi'r disgrifiad beiblaidd o'r creu.[13] Gwrthodir y modelau cyfredol am esblygiad a daeareg, yn ogystal â'r damcaniaethau sydd wedi bod yn deillio o brif ffrwd y gymuned wyddonol am oedran y bydysawd a disgyniad cyffredin pob math ar fywyd. Cynigia, yn hytrach, nifer o ddamcaniaethau sy'n honni bod yn 'wyddonol' ond a welir gan y brif gymuned wyddonol fel 'gwyddoniaeth ffals'. Ymhlith y damcaniaethau hyn ceir Bioleg Creadigaeth a Daeareg y Llif. Dadl Damcaniaeth Bioleg Creadigaeth yw bod esblygiad biolegol yn ffals, gan nad oes, yn ôl ei dilynwyr, unrhyw dystiolaeth o'r ffurfiau *interim* o fywyd a ddylai fodoli pe bai dethol naturiol yn gywir (dyma ddadl y dolenni absennol). Calon Damcaniaeth Daeareg y Llif yw bod llawer o ddaeareg y Ddaear, yn ogystal â ffosilau a thanwyddau ffosilaidd, wedi eu ffurfio o ganlyniad i'r llif a ddaeth dros y Ddaear gyfan yn ôl disgrifiad Genesis 8 a 9. Y mae hefyd yn gwrthod dulliau dyddio radiometrig (hynny yw, amcangyfrif oedran creigiau, ffosilau ac ati ar sail mesuriadau hanner oes isotopig), sy'n un o brif ddulliau daeareg gonfensiynol, fel dull gwallus ac annibynadwy.

Cafwyd yr un gefnogaeth i Ddamcaniaeth Cynllun Deallus.[14] Tra bod Damcaniaeth Esblygiad yn seiliedig ar y dybiaeth fod bywyd wedi esblygu drwy broses ddiamcan o ddethol naturiol nad oedd iddi na phwrpas na diben, cynsail y Ddamcaniaeth Cynllun Deallus yw bod Cynllunydd Deallus a chynllun y tu cefn i'r bydysawd. Honnir fod hwn yn esboniad gwyddonol amgen o darddiadau'r byd naturiol y gellir ei osod ochr yn ochr â damcaniaethau gwyddonol eraill neu, yn wir, y gellir ei gyfrif yn ddamcaniaeth ragorach.

Fodd bynnag, y mae'r damcaniaethau hyn i gyd yn annerbyniol i lawer o Gristnogion a hynny oherwydd eu dealltwriaeth hwy o'r testunau beiblaidd a'u cefnogaeth i brif ddaliadau damcaniaeth esblygiad. Felly, daeth ymdrech Gristnogol arall i esbonio tarddiadau'r bydysawd i'r amlwg, sef, Esblygiad Theistaidd. Cynsail y ddealltwriaeth hon yw Duw'r Creawdwr. Er y derbynnir micro-esblygiad (sef, proses mwtadiadau manwl dethol naturiol) a macro-esblygiad (sef, y datblygiadau sylweddol sydd wedi arwain at greu rhywogaethau newydd mewn ymateb i fwtadiadau genetig, amodau amgylcheddol ac yn y blaen), honnir hefyd nad proses ddiamcan a digynllun yw hon ond canlyniad i weithgarwch bwriadus Duw'r Crëwr. Gwelir mai trwy esblygiad y mae Duw wedi dod â'r Ddaear, a'r bywyd sydd arni, i fod. Dadleuir fod y cysyniad hwn yn gyson â dealltwriaeth ddeistaidd (sef, bod Duw wedi creu'r bydysawd ac yna wedi ei adael i'w rawd a'i dynged) a theistaidd (sef, bod Duw wedi creu'r byd ac yn dal i weithredu er mwyn gweithredu'r amcan dwyfol ar gyfer y bydysawd, gweler Pennod 2) a'i fod hefyd yn ffyddlon i'r dystiolaeth wyddonol. Y mae cefnogwyr Esblygiad Theistaidd yn dadlau fod damcaniaethau gwyddonol a hanes y creu yn Genesis yn cyflawni dibenion sy'n hanfodol wahanol i'w gilydd. Ateb y cwestiwn 'sut?' yw amcan y cyntaf, tra mai ateb y cwestiwn 'pam?' yw amcan yr ail. Yn ôl y farn hon, amcan gwyddoniaeth yw cynnig esboniadau empeiraidd o'r modd y daeth yr hyn sy'n bodoli i fod yr hyn ydyw, ac o'r gydberthynas a'r gyd-ddibyniaeth rhwng elfennau amrywiol y byd naturiol. Amcan diwinyddiaeth, ar y llaw arall, yw ceisio dehongliad o arwyddocâd, ystyr a diben yr hyn sy'n bod sydd wedi ei wreiddio ym mhwrpas ac ewyllys y Duw a greodd y bydysawd.

Crynhoi

Nodwyd eisoes mai prif ddadl Dawkins yw nad oes unrhyw ddiben chwilio am amcan i fywyd uwchlaw a thu hwnt i'n bywyd dynol yn y bydysawd fel y mae. Fel hyn y mae'n dadlau: sut y gallwn ni esbonio ymddangosiad cymhleth ac annhebygol cynllun yn y bydysawd? Y temtasiwn yw priodoli'r cynllun i Gynllunydd Deallus. Os felly, pwy gynlluniodd y cynllunydd? Pwy wnaeth Duw? Y mae ateb gwell i gwestiwn y cynllun, sef, dethol naturiol Darwin: y mae creaduriaid wedi esblygu drwy raddau araf a graddol o ddechreuadau syml. Lledrith neu dwyll yw 'Cynllun'. Trwy broses gyffelyb, y mae'n briodol i ragdybio fod y bydysawd wedi dod i fod drwy gyfres o fydysawdau cynyddol gymhleth – megis dethol naturiol i fydysawdau. Y mae'n amlwg fod y rhain yn cynnig esboniadau gwell; felly, 'y mae bron yn sicr nad yw Duw'n bod'.[15] Y mae McGrath yn crynhoi dadleuon Dawkins yn gymen iawn:

> Y mae Darwiniaeth yn gwneud cred mewn Duw yn ddiangen neu'n amhosibl . . . Y mae cred grefyddol yn gwadu'r awydd am wirionedd sy'n seiliedig ar resymeg a thystiolaeth . . . Y mae crefydd yn cynnig gweledigaeth dlotach o'r byd . . . Y mae crefydd yn arwain at ddrygioni. Y mae fel firws neu gancr sy'n gwenwyno meddyliau dynol.[16]

O safbwynt Cristnogol y mae gwendidau'r dadleuon hyn yn amlwg. Nid ydym yn credu yn Nuw am fod credu'n angenrheidiol neu'n hawdd. Yn hytrach, credwn yn Nuw am fod tystiolaeth y Beibl, gogoniant y greadigaeth a'r datguddiad o Dduw a gawn yn a thrwy Iesu yn ein harwain i'r gred hon. Yn sicr, nid yw'r gred Gristnogol yn gwadu'r awydd am wirionedd sy'n seiliedig ar resymeg a thystiolaeth. Y mae Cristnogaeth wedi bod yn ffydd resymegol gyda dadleuon rhesymegol ac athronyddol yn sail i'w hathrawiaeth o'r dyddiau cynnar yng nghyfnod y Testament Newydd, drwy'r Canol Oesoedd a'r Diwygiad Protestannaidd a'r Ymoleuo, hyd yr ugeinfed ganrif a'r unfed ganrif ar hugain. Bu achlysuron, fel y gwelsom, pan ddadleuodd Cristnogion blaenllaw yn erbyn damcaniaethau gwyddonol newydd. Ar hyd yr un cyfnod, fodd bynnag, bu gwyddonwyr, athronwyr a diwinyddion deallus a gwybodus yn barod i ddadlau dros y ddirnadaeth Gristnogol o Dduw. Gwnaed hynny heb mewn unrhyw fodd golli gafael ar resymolrwydd nac ychwaith ar dystiolaeth bobl ffydd ar hyd y canrifoedd i'r gred mewn Duw sydd â'i fwriad a'i egni yn rhoi bod a chyfeiriad i fywyd a bod y cosmos cyfan.

Ni ellir gwadu ei bod yn bosibl cael gweledigaeth gyfoethog o'r bydysawd heb bwyso ar ffydd i wneud hynny. Yn wir, y mae Dawkins ei hunan wedi llwyddo drosodd a thro i gyflwyno gweledigaeth gyfoethog a gogoneddus o ryfeddod y bydysawd, yn fwyaf arbennig efallai yn ei lyfr *Unweaving the Rainbow*, sy'n datgelu ei werthfawrogiad rhyfeddol o'r byd o'i gwmpas, a'r meddwl a'r ysbryd dynol sy'n medru rhoi mynegiant mewn gair, llun a cherddoriaeth i'r rhyfeddod hwnnw.[17] Nid ganddo ef a'r sawl sy'n rhannu ei feddylfryd y mae monopoli ar ddirnad y gogoneddus, fodd bynnag. Nid oes angen mwy na'n hatgoffa am gerddoriaeth Bach, neu gelfyddyd Rembrandt, neu farddoniaeth R. S. Thomas, Gwenallt neu Waldo, i sylweddoli nad yw ffydd yn cyflwyno gweledigaeth dlotach o'r byd. Yn wir, crëwyd rhai o gyflawniadau mwyaf anhygoel celfyddyd a dychymyg dynol o dan ysbrydoliaeth y ffydd Gristnogol sy'n gweld yn y ffurfafen waith Duw.

Nid oes amheuaeth ychwaith, wrth gwrs, fod crefydd wedi arwain at ddrygioni a bod creulondeb wedi ei gyflawni yn enw crefydd (gan gynnwys Cristnogaeth) ar hyd y canrifoedd. Ni ellir byth amddiffyn y creulondeb hwnnw. Fodd bynnag, bu'n fodd yn ogystal i godi unigolion, cymunedau a chenhedloedd o'u drygioni a'u creulondeb er mwyn ceisio creu byd newydd. Nid cymunedau o bobl berffaith yw Cristnogion ond cymunedau o bobl sy'n cydnabod eu hanufudd-dod ac yn credu fod yr Efengyl yn rym i'n codi ni a'n gwareiddiad allan o afael y bygythion sy'n dal i lethu'r ddynolryw. Gall fod yn egni trawsnewidiol ac adnewyddol sy'n llenwi meddyliau pobl â rhyfeddod.

Yn ei ymateb i ddadleuon Dawkins y mae McGrath yn ystyried sut mae wynebu dirgelwch y bydysawd. Y mae'n dyfynnu Paul: 'Yn awr, gweld mewn drych yr ydym, a hynny'n aneglur' (1 Corinthiaid 13:12) ac yna'n dyfynnu'r Santes Hilari (mewn dyfyniad o waith Charles Gore): 'Cawn ein gorfodi i ymgeisio am yr amhosibl, i ddringo lle na allwn gyrraedd, i lefaru'r hyn na allwn ei fynegi; yn hytrach na namyn addoliad ffydd, cawn ein gorfodi i ymddiried dyfnion bethau crefydd i beryglon mynegiant dynol.'[18] Y mae'n cyfaddef fod tensiynau rhwng gwyddoniaeth a Christnogaeth ac eto ochr yn ochr â'r rhain y mae potensial aruthrol am gydweddu deallusol ac am ddarganfod persbectif ffres ar realaeth.

Ar ddiwedd ei lyfr, y mae McGrath yn mynegi ei weledigaeth ef fel hyn:

Nid yw'r cwestiwn am fodolaeth Duw nac am sut un yw'r Duw hwnnw – ar waethaf disgwyliadau Darwiniaid gorhyderus – wedi diflannu ers amser Darwin, ac y mae'n parhau yn fater o'r pwysigrwydd deallusol a phersonol mwyaf. Fe all fod rhai meddyliau, ar y naill ochr a'r llall o'r ddadl hon, wedi eu cau; ond nid felly'r dystiolaeth na'r dadleuon. Y mae gan ddiwinyddion a gwyddonwyr gymaint i'w ddysgu oddi wrth ei gilydd. O wrando ar ein gilydd, efallai y cawn glywed y galaethau'n canu neu'r ffurfafen, hyd yn oed, yn datgan gogoniant Duw (Salm 19:1).[19]

Gallwn, felly, gofleidio Darwiniaeth fel esboniad o'r modd y daeth yr hyn sydd i fodolaeth heb i hynny, mewn unrhyw fodd, danseilio'n ffydd yn y Duw sy'n Grëwr popeth sydd. Duw sy'n creu yw Duw ac egni'r pwrpas, y meddwl a'r cariad dwyfol yw egni'r greadigaeth. Y mae Duw yn dwyn y bydysawd cyfan yn ei holl ryfeddod a'i gyfoeth a'i ogoniant i'w dynged derfynol yng Nghrist, yn yr hwn y mae popeth yn cael ei gyflawni a'i ddal ynghyd. Y rhyfeddod yw bod Duw yn galw'r ddynolryw i fod yn bartneriaid ag ef yn y dasg greadigol ac adnewyddol hon.

Wrth ymchwilio i'r gwirionedd hwn a cheisio cyflawni'r nod hwn y mae'n rhaid i bobl o ffydd ymchwilio, dadlau, cydweithio a rhyfeddu gydag eraill sy'n credu'n wahanol, ynghyd â'r rhai sydd heb ffydd o gwbl, er mwyn dwyn y greadigaeth i'w diben terfynol. Yn hyn oll, bydd credinwyr yn sefyll – gyda phawb sy'n edrych tuag at uchder a dyfnder y cread a'i holl gymhlethdod cywrain – mewn parchedig ofn yn wyneb rhyfeddod y cyfan gan wybod mai calon y rhyfeddod hwn yw'r un a elwir 'Duw'.

6

Biotechnoleg a Datblygiadau Meddygol

Yn 1921, roedd Hans Duncker (1881–1961), athro ysgol, yn cerdded ar hyd strydoedd Bremen, yn yr Almaen, pan glywodd, yn ymyl yr eglwys gadeiriol, eos yn canu. Roedd hyn yn syndod – roedd yn fis Awst a chlywodd neb eos yn canu yng nghanol y dref yr adeg hon o'r flwyddyn erioed o'r blaen. Aderyn gwahanol iawn oedd hwn – eos-ganeri, aderyn a oedd yn ganlyniad degawd o fridio gofalus gan yr adarwr Karl Reich (1885–1970). Gyda'i gilydd aeth Reich, gyda'i wybodaeth am adar, a Duncker, gyda'i arbenigrwydd mewn geneteg, ati i 'greu' aderyn newydd – caneri coch.[1] Roedd y ras i greu'r anifail cyntaf trwy beirianneg enetig wedi cychwyn.

Ym mis Chwefror 1997, anfarwolwyd dafad o'r enw Dolly. Dyma'r mamal cyntaf i'w glonio o gell anifail mewn oed.[2] Fel y crybwyllwyd eisoes ym Mhennod 5, oddi mewn i gelloedd y mwyafrif o organebau aml-gell ceir glasbrint genetig sydd, fel arfer, wedi ei amgodio mewn DNA. Ceir y rhan fwyaf o'r deunydd genetig hwn o fewn y cnewyllyn. Os bydd dau unigolyn â chopïau o'r un DNA niwclëig maent, i raddau helaeth iawn, yn enetig unffurf. Mewn geiriau eraill, maent yn ddau glôn. Fel peirianneg enetig, nid yw clonio chwaith yn newydd. Math penodol o glonio yw lluosogi planhigion trwy gymryd toriadau. Yn yr 1950au a'r 1960au llwyddodd John Gurdon ac eraill i glonio amryw rywog-aethau o frogaod a llyffantod trwy drawsgludiad cnewyllol.[3] Roedd ymddangosiad Dolly yn dangos ei bod yn bosibl i glonio mamaliaid.

Mae clonio dafad yn enghraifft o un o'r nifer cynyddol o brosesau biotechnolegol sydd bellach yn bosibl mewn meysydd yn amredeg o amaethyddiaeth, trwy arddwriaeth a chadwraeth, i feddygaeth. At y rhain gellir ychwanegu datblygiadau ym myd peirianneg addasu genetig, dewisiad genetig, ymchwil bôngelloedd a thrawsblaniad organau wedi eu cynhyrchu gan anifeiliaid wedi'u haddasu gan beirianneg enetig i'r rhestr. Cwyd technoleg o'r fath gwestiynau moesol anodd a dyrys.[4] A ddylid, er enghraifft, caniatáu clonio trwy drosglwyddiad cnewyllyn cell somataidd (y dechneg a ddefnyddiwyd i greu Dolly) i gynorthwyo darpar rieni sy'n ddiffrwyth? A ddylid tyfu cnydau wedi'u haddasu'n enetig? A ydyw'n dderbyniol defnyddio organau moch wedi'u haddasu'n enetig (gyda llawer llai o risg gwrthodiad imiwnyddol) i'w trawsblannu i gyrff dynol? Heriau moesol dirdynnol yw'r rhain sy'n aml yn ymwneud, weithiau mewn modd mwyaf personol, â chraidd ein bywyd fel personau unigol, fel teuluoedd ac fel dynolryw sy'n byw mewn partneriaeth â'r Ddaear. Ystyried a deall y cyd-destun Cristnogol fydd amcan cyntaf y bennod hon cyn mynd ymlaen i drafod agweddau ar y cwestiynau moesol hyn.[5]

Addasu genetig

Yn ystod yr 1990au, prin fod unrhyw bwnc gwyddonol wedi ennyn cymaint o ddiddordeb cyhoeddus a sylw yn y cyfryngau na pheirianneg enetig a'r defnydd a wneir o'r dechnoleg wrth gynhyrchu bwydydd.[6] Ar yr un llaw, gwyddom y gall y dechnoleg wella cyflenwadau bwyd i wledydd tlotaf y byd, gwella afiechydon, cynhyrchu cyffuriau meddygol a lleihau ein dibyniaeth ar blaleiddiaid cemegol.[7] Ar y llaw arall, yng nghyd-destun cnydau bwyd wedi'u haddasu'n enetig, mae pryderon am ddinistrio neu, o leiaf heintio, yr amgylchedd, am ariannu coffrau rhai o'r cwmnïau mawr sy'n datblygu'r dechnoleg, a dadleuir na wyddom faint y perygl, os perygl o gwbl, o fwyta llysiau a chnydau sydd wedi'u haddasu'n enetig.[8] Gofynnir hefyd gwestiynau llawer mwy sylfaenol am hawl y ddynoliaeth i 'ymyrryd' mewn 'prosesau naturiol'.

Beth yw organeb wedi ei addasu'n enetig? DNA sy'n gyfrifol am fframwaith y cromosomau oddi mewn i gelloedd ac mae nifer o enynnau ym mhob cromosom. Mae pob gennyn yn gyfrifol am ryw nodwedd arbennig o'r organeb – lliw llygad, nifer o goesau mewn trychfilyn, neu ffurf deilen ar blanhigyn. Mewn organebau sydd wedi'u haddasu'n enetig, boed yn firws, yn facteria, yn blanhigyn neu yn anifail, mae gennyn amgen wedi ei ychwanegu ar un o gromosomau'r organeb. Mae proses ychwanegu gennyn yn un cymhleth – torrir darn arbennig o DNA un organeb ac yna, trwy ddefnyddio 'cariwr genynnau' priodol, trosglwyddir y darn toredig o'r asid genetig i gromosom yr organeb sydd i'w addasu. Mewn labordai trwyddedig defnyddir y dechnoleg i gynhyrchu meddyginiaethau megis gwrthfiotig, lleddfwyr poen ac inswlin. Dibynna rhai bwydydd ar weithrediad biolegol bacteria (e.e. caws ac iogwrt); gall bacteria sydd wedi'u haddasu'n enetig gyflymu'r broses gynhyrchu. Oherwydd rheolau a deddfau diogelwch labordai, annhebyg iawn y bydd gwaith o'r math hwn yn effeithio ar yr amgylchedd. Cwyd y gofidiau amgylcheddol pan drafodir organebau sy'n cael eu datblygu ar gyfer gwella a chynhyrchu cnydau bwyd, diogelu cnydau rhag ymosodiadau plaol ac afiech-ydon, i reoli atgynhyrchu naturiol anifeiliaid a glanhau tir llyg-redig.

Yn ddiwinyddol, codir nifer o gwestiynau megis: i ba raddau y mae'r ddynolryw yn rhydd i ddefnyddio'i gallu ymenyddol ac ymarferol i newid cyfansoddiad genetig planhigion ac anifeiliaid? A oes hawl i addasu cyfansoddiad bodau dynol i gyfarfod â'n hanghenion delfrydol ni (proses sydd cymaint â hynny'n fwy real yn dilyn Prosiect y Genom Dynol a aeth ati i ddiffinio'r côd genetig dynol[9])? Pa mor bell yw hyn oddi wrth ymdrechion Hitler mewn perthynas ag Iddewon, pobl gyfunrywiol, a phobl â nam meddyliol neu gorfforol? Ai derbyniol defnyddio'r wybodaeth hon i atal afiechydon neu i atal genedigaeth babanod gydag anabledd meddyliol neu gorfforol difrifol? Yng nghyd-destun y cwestiwn olaf rhaid gofyn pa mor ddifrifol yw difrifol? Pwy sy'n penderfynu, ac ar ba sail, beth ddylai gael ei atal a beth na ddylai gael ei atal? A oes perygl y gallai peirianneg enetig newid y natur ddynol ac a ddylem boeni am hyn? Yn fwy penodol, i'r Cristion, a yw peir-ianneg enetig yn foesol? A oes i hyn oblygiadau eraill i Gristnogion heblaw'r agweddau moesol?

Dewisiad genetig

Gall dewisiad genetig fod yn negyddol neu'n bositif; chwynnu neu fagu 'stoc'. Bu cwnsela genetig gwirfoddol, proses sy'n ganolog i unrhyw ddewisiad ar sail geneteg, yn weithredol ers blynyddoedd. Trwy bigiadau brychbilennol a samplu filysau'r ambilen corion gellir canfod ystod o abnormaleddau genetig. Mae hollt yn yr asgwrn cefn, spina bifida, yn un o'r abnormaleddau cynhwynol mwyaf cyffredin yng ngwledydd y Deyrnas Unedig, gyda mynychder o ryw 1–8 ym mhob 1,000 genedigaeth. Ers darganfod, yn 1972, y cysylltiad rhwng cynnydd yn lefelau'r protein alffa-ffeto yn yr hylif amniotig a spina bifida daeth cyngor cyn-esgorol yn realiti.[10] Ni ellir sicrhau na fydd y plentyn yn dioddef o spina bifida ond gellir cyflwyno tystiolaeth sydd efallai o gymorth mewn trafodaeth i benderfynu a ddylid terfynu'r ffoetws spina bifida. Ers dyfodiad ffrwythloniad *in vitro* gellir sgrinio am abnormaleddau genetig megis afiechydon rhyw-gysylltiedig (e.e. haemoffilia); cynnig hyn y posibilrwydd o ganiatáu terfyniad adeg y stad embryonig ynghyd â'r stad ffoetysol. Gall sgrinio genetig ddylanwadu ar benderfyniadau teuluol. Er enghraifft, trwy ddefnyddio sgrinio genetig am bresenoldeb gennyn ffibrosis cystig (a ddarganfuwyd yn 1989[11]), gellir cynghori rhieni sy'n cario'r gennyn ar eu cromosomau, am gyflwr iechyd tebygol eu plant. Mewn achos penodol yn Ysbyty Hammersmith, Llundain, llwyddwyd, trwy ddefnyddio sgrinio o'r fath, i gynghori rhieni a oedd yn cario gennyn ffibrosis cystig ar eu cromosomau, am iechyd tebygol eu hail blentyn. Roedd eu plentyn cyntaf eisoes yn dioddef o'r afiechyd a gwyddent, heb ymyrraeth sgrinio enetig o ryw fath, bod siawns sylweddol (1 o 4) y byddai'r ail blentyn yn dioddef o'r un cyflwr. Trwy sgrinio genetig sicrhawyd esgor ar blentyn holliach yn 1992.[12]

Bôngelloedd

Ceir bôngelloedd ym mhob organeb amlgellog; eu nodwedd arbennig yw eu bod yn medru rhannu trwy fitosis gan wahaniaethu i ystod eang o fathau o gelloedd arbenigol tra ar yr un pryd adnewyddu i gynhyrchu rhagor o fôngelloedd. Mewn mamaliaid, ceir dau fath o fôngelloedd: bôngelloedd embryonig a bôngelloedd oedolyn a geir mewn nifer o wahanol feinweoedd. Bôngelloedd (a chelloedd cenhedlig) sy'n gyfrifol am atgyweirio'r corff tra yn embryo; bydd bôngelloedd yn gwahaniaethu i wahanol gelloedd arbenigol, ynghyd â sicrhau'r trosiant arferol o gelloedd gwaed a chroen, a meinweoedd y perfeddyn.[13] Gellir tyfu bôngelloedd trwy ddulliau artiffisial a'u gweddnewid i fathau arbenigol o gelloedd (er enghraifft, cyhyrau a nerfau). Defnyddir plastigrwydd bôngelloedd oedolion yn aml mewn triniaethau meddygol. Cesglir bôngelloedd o nifer o ffynonellau, gan gynnwys gwaed y llinyn bogel a mêr asgwrn. Gellir hefyd defnyddio bôngelloedd embryonig ar gyfer triniaethau meddygol; eisoes defnyddiwyd celloedd embryonig llygod i wneud hyn.[14] Er potensial bôngelloedd mewn meddygaeth atgynhyrchiol ac ailddodiad meinwe ar ôl dolur neu afiechyd,[15] gwahardd nifer o wledydd naill ai unrhyw ddatblygiadau mewn ymchwil bôngelloedd embryonig, neu ddatblygiad a meithriniad unrhyw linell newydd o'r fath gelloedd.

Cwyd ymchwil bôngelloedd ddilema foesol. Gellid dadlau bod ymchwil o'r fath yn gorfodi Cristnogion i ddewis rhwng dwy egwyddor sylfaenol – y ddyletswydd i wahardd neu liniaru dioddefaint, a'r ddyletswydd i barchu gwerth bywyd dynol. Hyd yn gymharol ddiweddar, roedd ymchwil bôngelloedd, i raddau helaeth, yn golygu ei bod bron yn amhosibl parchu'r ddwy egwyddor.[16] Dilynai'r dadleuon lwybr rhywbeth tebyg i hyn: i gasglu bôngelloedd embryonig rhaid difa'r embryo, sef dinistrio bywyd dynol posibl. Gall ymchwil ar fôngelloedd embryo arwain i ddarganfyddiad triniaethau meddygol i liniaru dioddefaint cannoedd o bobl, efallai miloedd ohonynt. Pa egwyddor foesol sydd i gael y flaenoriaeth? Byddai hyn wedyn yn arwain at y dadleuon am statws embryo. Ceir gwahaniaeth barn ymysg y crefyddau am statws yr embryo. Yn draddodiadol, cred yr eglwysi Protestannaidd mwy ceidwadol, yr Eglwys Gatholig Rufeinig a'r Eglwysi Uniongred bod statws dynol yn perthyn i'r embryo o adeg ei ffrwythloniad. Canolbwyntio ar bwysigrwydd helpu eraill a wna Iddewiaeth ac Islam gan ddadlau nad ydyw'r embryo yn 'wir' ddynol hyd tua deugain diwrnod ar ôl ffrwythloni. Nid bwriad y bennod hon yw trafod yr egwyddorion a safbwyntiau moesol hyn ond, yn hytrach, cyfleu'r cymhlethdod cymdeithasol a ddaw yn sgil dat-blygiadau o'r fath.[17]

Defnyddir bôngelloedd oedolyn mewn triniaethau lewcemia, a chanserau asgwrn a gwaed, gan amlaf trwy drawsblaniad mêr asgwrn, ers rhai blynyddoedd.[18] Mae'r defnydd hwn yn llawer llai dadleuol gan nad yw casglu bôngelloedd oedolyn yn ddibynnol ar ddinistrio embryo. Yn ychwanegol, o gymryd y bôngelloedd o'r derbynnydd arfaethedig (hunan impiad) mae'r tebygrwydd o wrthodiad yn diflannu, bron yn gyfan gwbl.

Clonio

Mewn bioleg defnyddir y term clonio i ddisgrifio'r broses o gyn-hyrchu poblogaethau cyfatebol o unigolion sy'n unffurf genetig. Ym myd natur, digwydd hyn pan fydd bacteria, planhigion (e.e. mefus a wisteria) a thrychfilod (e.e. llyslau) yn atgynhyrchu'n anrhywiol. Yng nghyd-destun biotechnoleg defnyddir y term i ddisgrifio'r broses o greu copïau o ddarnau o DNA (clonio moleciwlaidd), celloedd (clonio celloedd) neu organebau. Daw'r term gwreiddiol o'r Roeg, κλωνος, sef y gair am foncyff neu frigyn; cysylltir hyn ag hen arfer grafftio, dull cyntefig o glonio.

Defnyddir y term clonio dynol i ddisgrifio'r broses o greu copi unffurf genetig o fod dynol. Fel arfer, cyfeirio yn benodol at ddulliau artiffisial o wneud hyn a wna'r term gan fod clonio dynol yn arwain i efeilliaid unffurf yn weddol gyffredin a'r broses yn digwydd yn hollol naturiol oddi mewn i broses atgynhyrchu'r rhywogaeth. Ceir dau fath o glonio dynol: clonio therapiwtig a chlonio at-gynhyrchiol.[19] Mae'r cyntaf yn faes ymchwil toreithiog lle bydd celloedd oedolion yn cael eu clonio i'w defnyddio mewn medd-ygaeth. Cynhyrchu bodau dynol byddai amcan clonio atgyn-hyrchiol. Efallai y dylid hefyd sôn am glonio ailddodi, sy'n gwbl ddamcaniaethol ar hyn o bryd, ond yn cynnwys agweddau o'r ddau fath o glonio dynol a soniwyd amdanynt eisoes. Byddai'r math hwn o glonio yn ymwneud ag ailddodi corff wedi'i niweidio neu'n gwbl ffaeledig gan glonio, ac yna dilyn hyn gan drawsblaniad cyfan neu rannol o'r ymennydd.

Nid yn annisgwyl, ennyn clonio dynol ddadleuon egnïol. Dadleua llawer, gan gynnwys sefydliadau a mudiadau gwyddonol, llywodraethol a chrefyddol, y dylid gwahardd unrhyw ddatblygiadau pellach yn y maes. Cwyd y cysyniad o glonio gwestiynau moesol dyrys. Gofyn eraill, gan dderbyn bod yna ofidiau am y broses, onid datblygiad cwbl dderbyniol byddai medru sicrhau digonedd o organau ar gyfer eu trawsblannu yn hytrach na dibynnu ar gyflwyniadau gwirfoddol? Yn gysylltiedig mae'r holl bosibiliadau ym myd estron-drawsblaniad o dyfu organau sy'n dderbyniol i ddynolryw oddi mewn i gyrff organebau eraill, megis gwartheg neu ddefaid, ac yna trawsblannu'r rhain i gorff dynol. Eang y sbectrwm o ystyriaethau moesol ac egwyddorol.[20]

Y cyd-destun Cristnogol

Cred Cristnogion yn Nuw fel Crëwr sy'n rhannu ym mhroses naturiol y byd. Mae Duw yn ein gwahodd i fod yn bartneriaid yn ei broses waredigol o ddwyn y cyfan i'w lawn ogoniant yng Nghrist. O dderbyn mai esblygiad yw'r esboniad gorau ar y broses trosglwyddo nodweddion (genynnau) o un genhedlaeth i'r llall derbyniwn hefyd mae trawsblygiad yw hanfod y broses fiolegol naturiol, ac mai fel hyn y mae Duw yn gweithredu. Cydnabyddwn fod rhai o'r newidiadau naturiol hyn yn llesol a rhai yn niweidiol.

Arwain hyn ni i ofyn pa newidiadau naturiol sy'n dderbyniol a pha rai sydd ddim? A oes gwahaniaeth sylfaenol rhwng proses naturiol sy'n creu addasiadau trwy drawsblygiad a phroses artiffisial, dyweder, peirianneg enetig? Onid pendraw'r ddwy broses yw newid yn y côd genetig? Un gwahaniaeth sylfaenol, wrth gwrs, yw bod addasiadau naturiol yn digwydd oddi fewn i rywogaethau tra bod addasu artiffisial yn medru digwydd rhwng rhywogaethau. A yw hyn yn tanseilio trefn naturiol, ddwyfol y Cread? Rhaid cydnabod hefyd nad y prosesau ei hun sy'n peri pryder i lawer o Gristnogion ond rheolaeth dros ddefnydd o'r prosesau.

Cwyd peirianneg enetig, clonio ac ymchwil bôngelloedd gwestiynau pwysig am berthynas pobl (a grëwyd ar 'ddelw Duw' (Genesis 1:26)) ag anifeiliaid a phlanhigion. A ellir gwneud pa ddefnydd bynnag o fyd natur yn sgil y ffaith i ddynoliaeth gael yr hawl i 'lywodraethu' dros y Cread (gweler Genesis 1 a 2, a'r drafodaeth ym Mhennod 8)? Neu ai'n hatgoffa a wna Llyfr Genesis mai'n cyfrifoldeb yw bod yn 'stiwardiaid' dros y Cread trwy ei barchu a'i anrhydeddu, a gwneud hynny gyda thosturi a chyfiawnder? Y cwestiynau hollbwysig i Gristnogion yw: pwy sy'n rheoli'r defnydd o'r dechnoleg ac yn sicrhau nad oes neb (na dim) yn cael eu hecsbloetio am resymau masnachol? Pwy sy'n elwa a phwy sy'n colli o ganlyniad i ddatblygu a defnyddio'r prosesau hyn? A yw'r prosesau hyn yn ddiogel? Rhaid cofio, wrth gwrs, na ellir byth bod yn hollol sicr fod unrhyw dechnoleg wyddonol yn gwbl ddiogel. Ar y cyfan, mentrwn yn yr hyder bydd y rhan fwyaf yn debygol o fod yn ddiogel. Dyrys a chymysg yw'r drafodaeth wedi bod ar y materion hyn hyd yn hyn: yn ôl yr Athro Robert Edwards, un o ladmeryddion pennaf technoleg atgynhyrchu: 'Dryswch yn unig y bu i mi ei ddarganfod ... methiant i benderfynu . . . syniadau a chysyniadau newidiol, a minnau'n chwilio am ysbrydoliaeth, cyngor ac arweiniad o ffynonellau crefyddol'.[21] Go brin y llwyddir i unioni'r cam yn y bennod hon. Yn hytrach, o hyn i ddiwedd y bennod, amlinellir y prif baramedrau diwinyddol a ellir eu defnyddio i fod yn sail ymateb Gristnogol i'r datblygiadau hyn sydd, mewn llawer ystyr, yn rhai cynhyrfus iawn.

Stiwardiaeth - chwarae Duw neu gwasanaethu Duw?

Un agwedd o'r goblygiadau o fod yn rhan o'r greadigaeth ac yn fodau dynol a luniwyd ar ddelw Duw yw bod yn ofalwyr dros ystâd Duw, sef, y byd. Ymateb a wnawn i'r gorchymyn 'llanwch y ddaear a darostyngwch hi' (Genesis 1:28). Yn ei lyfr *Human Science and Human Dignity* mae Donald Mackay yn ein herio ni 'i beidio amddiffyn bodlonrwydd â'r digyfnewid i'r fath raddau nes ein bod yn anghofio pechod hunan fodlonrwydd yn wyneb yr hyn y gellir ei newid'.[22] Yn hyn fe'n hatgoffir o eiriau Iago 4:17: 'Ac felly, pechod yw i rywun beidio â gwneud y daioni y mae'n gwybod y dylai ei wneud'. Yng nghyd-destun datblygiadau biotechnolegol gwêl Donald Mackay hyn fel rhybudd i beidio osgoi'r hyn y gall technoleg addasiad genetig, clonio a bôngelloedd eu cynnig i ni; gall hyn fod yn wrthodiad o'n goblygiadau dynol i'r un graddau ag yw cam-feddiannu'r cyfyngiadau a roddir arnom trwy stiwardiaeth.

Onid gostyngeiddrwydd camarweiniol fyddai i ddynoliaeth frawychu a phledio na ddylid chwarae Duw os ydyw'r cyfan yn rhan o stiwardiaeth a ordeiniwyd gan Dduw? Geilw'r diwinydd Albanaidd T. F. Torrance y gwyddonydd yn 'offeiriad natur'; gellid dadlau mai cyd-weithwyr Duw yw dynolryw ac felly, o fewn canllawiau'n ffydd, nid chwarae Duw a wnawn ond ei wasanaethu.[23] Fel Cristnogion, dylid cadarnhau llawer o'r hyn sy'n dda o fewn i'r chwyldro biotechnolegol cyfredol tra hefyd peidio anghofio goblygiadau atebolrwydd. Mae yna gyfyngiadau pendant ar arglwyddiaeth dynoliaeth; awdurdod dirprwyedig yw. Ym mhopeth a wna'r ddynolryw rydym yn atebol i Dduw; yn hynny o beth rydym, felly, yn atebol i'n gilydd: 'os cwyd y cysyniad o fod yn atebol ymdeimlad o annifyrrwch ynom, aethom y tu hwnt i'n brîff'.[24]

Ym myd biotechnoleg gall yr atynfa fasnachol fod yn gryf, y gyfaredd o archwilio 'tu hwnt i'r ffiniau' yn annataliadwy, a'r ysfa o fri personol o dan ymbarél datblygiadau gwyddonol a thosturi cymdeithasol yn hudolus. Nid dim ond y gwyddonydd a'r tech-negydd sy'n atebol am hyn: 'Cynnig cyfle i gymdeithas roi mynegiant dilys o'i henaid a wna arloeswyr ymchwil, ac ni fedrwn gael ein caniatáu i'w diarddel'.[25] Ai teg felly byddai casglu bod Cristnogion wedi'u galw, nid i wahardd y dechnoleg, ond i gyfranogi yn y broses gymdeithasol o lunio canllawiau o fewn terfynau ffydd a fydd yn ein galluogi i'w defnyddio er lles y ddynolryw a'r greadigaeth mewn modd sydd yn diogelu eu cyfiawnder a'u cynghanedd, ond heb eu hecsploetio'n hunanol?

Rhoddedigrwydd y greadigaeth

Soniodd Donald Mackay (uchod) am yr angen i wahaniaethu rhwng derbyniad o'r digyfnewid a hunan fodlonrwydd yn wyneb yr hyn y gellir ei newid. Cyfyd cwestiwn sylfaenol yn wyneb y datblygiadau uchod yn nhechnoleg genetig a bioleg y gell. Ydyw'r posibl yn ganiataol? Cwyd y sefyllfa hon ddau gwestiwn i'r Cristion: a oes yna lefel o roddedigrwydd ynglŷn â'r greadigaeth? Ymhellach, a oes yna bwynt lle mae dofi cyfreithiol o fyd Duw yn ymyrraeth anghyfreithiol? Sail yr holi hwn yw'r cwestiwn, pa mor statig neu ddeinamig dylai dealltwriaeth y Cristion o'r Greadigaeth fod? Ai priodol dweud fod Duw wedi creu'r bydysawd yn ôl ei ddymuniad ac, o ganlyniad, dyma sut y dylai sefyll; neu, onid ydyw'r ddynolryw yn fwy na stiwardiaid ac, mewn gwirionedd, yn gyd-greawdwyr â Duw? Yn ei lyfr *Manipulation* â'r moesegydd Bernhard Haring mor bell â datgan bod Duw wedi ymddiried ein natur fiolegol i ni er mwyn i ni gael cyflymu'r broses o ymffurfio dynol trwy ddulliau genetig.[26]

Cwestiwn tyngedfennol i'r Cristion ym maes biotechnoleg yw gofyn a yw'n bosibl i wahaniaethu'r 'dylid' a'r 'mae'. Yn nhraddodiad cyfraith naturiol, byddai Acwin yn datgan bod dynolryw yn arsylwi ar ei antur ei hun ac o hynny yn medru 'dirnad y patrwm a'r ymddygiad fydd yn fodd i'r ddynolryw gyflawni ei gwir ddiben'.[27] Cymer hyn yn ganiataol bod yna drefn foesol ymhlyg yn y byd naturiol. Cred y Cristion bod cynnwys moesol yn nhrefn y creu. Mae hanesion Llyfr Genesis nid yn gymaint yn cyfleu sut y crëwyd y byd ond yn datgan ystyr a phwrpas y greadigaeth. Goruchafiaeth trefn dros anhrefn yw'r greadigaeth a hyd yn oed os bu i'r cosmos ddioddef effeithiau'r 'Cwymp' gellid dadlau, gan mai byd Duw ydyw, bod gan y cosmos resymoledd amodol a chymesuredd moesol iddo. Mewn iaith ddiwinyddol, cawn hyn yn Iesu Grist, gair Duw, a 'daeth popeth i fod trwyddo ef' (Ioan 1:3).

Beth a olyga hyn mewn termau biolegol? Nid yw Cristnogaeth yn credu fod Duw wedi dod yn ddyn yn unig er mwyn dwyn hanes dynol at atalnod llawn ac i grebachu bodau dynol i statws ffosil a ardystiwyd gan y dwyfol. 'Nid dim ond gosod ar fodau dynol y sêl drwy'r hwn y mae Duw yn gwarantu eu tynged dragwyddol a'u hurddas di-gwestiwn a wnaeth yr Ymgnawdoliad. Dygodd beth newydd i'r byd ac agor oes newydd o urddas dynol'.[28] Enynnodd hyn ar drafodaeth fywiog gyda'r diwinydd ceidwadol Andrew Rollinson yn dadlau bod y 'Gair yn gnawd' (Ioan 1:14) yn 'bwynt omega' ein cyfansoddiad fel dynolryw a bod hynny yn golygu gwahaniaethu rhwng gwella afiechydon o fewn ein cyfansoddiad genetig ac ychwanegiadau genetig a wna newidiadau sylfaenol i natur y rhywogaeth ddynol.[29]

Unigolyndod

Cwyd nifer fawr o gwestiynau moesol a diwinyddol o dan y pennawd hwn. O gymryd y meddylfryd iwtilitaraidd mae unrhyw ymwneud â, ac unrhyw ddatblygiadau ym, maes geneteg yn eilradd i esgor a datblygiad baban iach: 'Y pwynt moesol pwysicaf yw osgoi geni baban sydd ag anabledd dwys, ac y mae hyn, i'm meddwl i', medd E. M. Mascall, 'yn llawer pwysicach nag anfanteision moesegol diystyru embryo sy'n ymrannu neu flastocyst'.[30] Dadl y mwyafrif yw na all yr ateb fod mor syml â hyn. Dibynna safbwynt personol ar ddealltwriaeth yr unigolyn hwnnw o pryd y daw'r bod dynol i fodolaeth. Fel arfer, ceir un o dri ymateb. Er bod y drafodaeth hon efallai yn fwyaf canolog i faterion yn ymwneud ag erthylu a sgrinio genetig, mae deall y prif safbwyntiau yn y cyd-destun presennol yn hanfodol, yn arbennig felly wrth drafod materion yn ymwneud â bôngelloedd embryonig. Ymateb graddedig yw'r cyntaf. Dadleuir nad oes pwynt penodol yn y cyfnod rhwng ffrwythloni a genedigaeth lle gellir nodi, o leiaf gydag unrhyw sicrwydd, mai dyma pryd y daw bod dynol i fodolaeth. Yn hytrach, wrth i ddatblygiad fynd yn ei flaen, a'r celloedd ffoetysol yn ymrannu, ennill y ffoetws yr hawl i'w amddiffyn. Yr ail safbwynt yw bod pwynt penodol lle cychwyn 'y person' – i rai, moment ffrwythloniad yw'r pwynt hwn; i eraill, pan ddigwydd y mewnblaniad ac, i eraill fyth, cychwyniad datblygiad yr ymennydd. Pwysigrwydd potensial yw sail y trydydd safbwynt. Amhosibl yw penodi'n union pryd y daw person i fodolaeth ond gan fod pob embryo â photensial i ddatblygu'n berson, anghyfrifol yw ei ddinistrio ar unrhyw adeg yn ystod bodolaeth y ffoetws.

Cynnig y ffydd Gristnogol lawer yn y drafodaeth hon. Tarddiad y drafodaeth athronyddol-ddiwinyddol ar bersonoliaeth oedd yr

Eglwys Fore, a hynny wrth iddi geisio ymbalfalu tuag at ddehongli mewn modd dealladwy sut mae Duw yn un ond eto yn dri pherson, a sut y nodweddwyd Iesu Grist â dwy natur, mewn un person. Daw'n hollol amlwg o'r trafodaethau cynnar hyn, ac o'r drafodaeth sydd wedi dilyn ar hyd y canrifoedd, na ellir diffinio personoliaeth mewn rhestr o nodweddion neu alluoedd penodol. Yn sicr, gall embryo dynol ymdeimlo, ond mae bod yn berson yn fwy na hynny. Mae blaenoriaeth i 'fod' dros 'ymddygiad'. Yn yr un modd, gwelodd yr Eglwys Fore bod unigolion yn cael eu diffinio a'u cyflyru gan fodolaeth perthynas. Yn y Duwdod ceir tri pherson dwyfol mewn cymuned o fodolaeth. Dadl y Cristion yw mai sylfaen ein bod yw perthynas Duw tuag atom. Cynnig geiriau Salm 139 bod hyn yn mynd nôl â ni i'n cychwyniad embryonig: 'Arglwydd, yr wyt wedi fy chwilio a'm hadnabod . . . Ti a greodd fy ymysgaroedd, a'm llunio yng nghroth fy mam . . .'. O roi hyn yng nghyd-destun gorchymyn ymarferol Kant, 'ymdriniwch ag unigolion bob amser fel nod ynddynt eu hunain ac nid byth fel moddion i gyrraedd nod', gwelir pwysigrwydd y safbwynt hwn wrth bennu ymateb Cristnogol i unrhyw driniaeth lle arbrofir ar embryonau dynol neu, sydd efallai yn bwysicach, pan y'u gwaredir.[31]

Urddas dynol

Crybwyllwyd uchod bod gan beirianneg enetig le anrhydeddus yng ngweithredu gallu iachau gwyddoniaeth. Yn hyn o beth, gall ymchwilio a chanlyniadau genetig gadarnhau urddas dynol. Rhaid gochel, er hynny, nad yw datblygiadau a thriniaethau genetig yn lleihau'r urddas hwn. Duw a greodd y bod dynol ac, o ganlyniad, annerbyniol yw unrhyw demtasiwn i ddiraddio ffrwythloniad dynol i lefel adnodd gwneuthuredig. Yn ein chwilota am ryddid rhaid sicrhau na fydd geneteg yn ein harwain i gaethwasiaeth newydd. Gall sgrinio genetig ein hachub rhag gorfod wynebu penderfyniadau anodd. Sut fydd egluro i genedlaethau'r dyfodol bod eu tad yn farw pan y'u cenhedlwyd neu mai meinwe ffoetws oedd ei mam? Pwy fydd yn rheoli'r hyn a wneir â'r wybodaeth a'r dechnoleg?

Yn ei lyfr *The Abolition of Man*, ysgrifenna C. S. Lewis:

Mae pob ymarfer pŵer hirdymor, yn arbennig felly mewn bridio, yn gorfod deillio o oruchafiaeth cenedlaethau cynt dros y rhai diweddaraf . . . Mae pob grym newydd a enillir i'r ddynolryw hefyd yn rym *dros* ddynolryw. Gedy pob datblygiad y ddynolryw yn wannach yn ogystal ag yn gryfach. Ym mhob buddugoliaeth, ynghyd â bod y cadfridog sy'n gorfoleddu, mae hefyd y carcharor sy'n dilyn y modur gorfoleddus.[32]

Efallai mai dyma un o'r heriau mwyaf a wynebir gan ddynoliaeth yr unfed ganrif ar hugain: sut mae sicrhau stiwardiaeth ddigonol a phriodol, sy'n cydymffurfio â chanllawiau'r ffydd Gristnogol, o'r datblygiadau cyffrous ym maes geneteg tra ar yr un pryd sicrhau nad ydym yn sbarduno diddymiad y ddynolryw.

7

Y Natur Ddynol

Y cwestiwn canolog wrth feddwl am y natur ddynol yw hwn: a ydyw Damcaniaeth Esblygiad a datblygiadau biolegol yn gyson â'r ddealltwriaeth Gristnogol o'r natur ddynol? I geisio ateb y cwestiwn, rhaid gofyn cwestiwn arall: sut mae disgrifio'r natur ddynol? Byddai'n rhaid i'r ateb i'r cwestiwn hwn gydnabod ein bod yn fodau hunanymwybodol sy'n medru bwriadu pethau, ac sy'n rhesymol a rhydd (er y bydd yn rhaid ystyried beth yw natur rhyddid dynol).

Yn draddodiadol, a hynny'n bennaf yn tarddu mewn diwinyddiaeth Gristnogol oedd yn seiliedig ar athroniaeth Platon (*c.*428–347 CC) ac Aristoteles (384–322 CC), mynegwyd y ddirnadaeth hon o'r natur ddynol yn nhermau'r enaid. Yn ôl Daniel,

> Dadleuodd Platon fod yr enaid yn cynnwys tair 'rhan': y rhan resymol, yr un angerddol, a'r un chwannog. Yn effeithiol, tri math o ddymuniad oedd ganddo dan sylw: am ddoethineb, am bŵer a bri, ac am bleserau synhwyrus a'r moddion i'w sicrhau, sef, cyfoeth yn bennaf . . . Y rhan resymol yn unig a oedd yn gymwys i reoli'r enaid cyfan, gan mai hi'n unig a fedrai amgyffred lles y gwahanol rannau o'r enaid.[1]

Modd arall o ddeall ystyr 'enaid' yng ngwaith Platon yw meddwl amdano fel hyn:

> Y mae Platon yn integreiddio nifer o agweddau canolog o'r ensyniad cyffredin am yr enaid . . . sef, cyfrifoldeb am fywyd organeb (hynny

yw, yn yr achos dynol, cyfrifoldeb am ei fodolaeth ac am ei fywyd fel bod dynol), am agweddau gwybyddol a deallusol (yn fwyaf arbennig), ac am rinweddau moesol megis dewrder a chyfiawnder.[2]

Ar y llaw arall, nid oedd Aristoteles am ddidoli rhwng y corff a'r enaid. Gwelai yn hytrach bod 'y gydberthynas a'r gyd-ddibyniaeth (rhwng corff ac enaid) yn llawer mwy clos na hynny'. '[Y mae] cydymdreiddio . . . rhwng y deunydd, y dichonoldeb, a'r ffurfiant sy'n ei gyflunio a'i ddirweddoli' ac y mae 'y corff byw yn gyf-ansawdd o "gorff" dichonol ac o "enaid" sy'n ei ffurfio oddi mewn i'w wneud yn fyw'.[3]

Yn draddodiadol, gwelwyd y ddirnadaeth Gristnogol yn nhermau tair agwedd benodol a chyd-gysylltiedig. Y gyntaf yw deuoliaeth corff ac enaid. Yma diffinnir corff yn nhermau realaeth ffisegol a materol bodolaeth ddynol, tra bod enaid yn diffinio'r hyn y mae Ward yn ei ddisgrifio fel 'craidd y bod dynol, a phan mae'n deall, yn dychmygu, yn gwneud penderfyniadau moesol, nid yw'r gweith-gareddau hyn yn cael eu llywio gan ddigwyddiadau ffisegol yn y corff dynol' ond gan yr enaid. Wrth gwrs, medd Ward,

> y mae'r dynol wedi ei ymgorffori yn y byd materol . . . [ond] mae gan yr enaid gylch o weithredu rhydd nad yw wedi ei benderfynu'n unig gan gyfreithiau achosiaeth yn yr ymennydd . . . I Gristnogion fe ddylai'r corff fod yn fynegiant ffisegol a materol o'r enaid . . . fel y gall ddysgu gan a gweithredu oddi mewn i'r amgylchedd materol.[4]

Ydyw'r ddealltwriaeth hon yn rhoi lle digonol i undod y person dynol? Ymateb Ward yw'r syniad o undod seicoffisegol i ddiffinio'r natur ddynol: 'Yn ôl y ddealltwriaeth hon, wrth sôn am yr enaid dynol sôn a wnawn am y ffurf faterol gymhleth ar fywyd sy'n nodweddu'r bod dynol, ond rhown sylw hefyd i'w gymeriad fel organeb ffisegol hunanymwybodol, rhesymol a rhydd.'[5] Y mae'n awgrymu mai ffordd o fynegi hyn yw meddwl yn nhermau agwedd allanol ac agwedd fewnol bob person. I Tomos Acwin (a hynny ar sail athroniaeth Aristoteles), yr enaid yw ffurf y corff, yn yr ystyr mai dyma yw gwir hanfod bodau dynol, ffurf sydd wedi ei gwreiddio yng ngallu dynolryw i feddwl yn rhesymegol: 'ein bodolaeth fel rhai a all wybod sy'n gwneud ein cyrff y pethau arbennig ydynt, sef, cyrff anifeiliaid deallus . . . Yn nhermau'r darlun hwn, nid enaid *plus* corff ydwyf, ond corff eneidiog. . .'. I Acwin, y mae uniad enaid a chorff 'yn uniad naturiol, a phob gwahanu enaid oddi wrth y corff yn groes i'w natur . . . ac felly os amddifedir enaid o'i gorff, bodoli'n amherffaith a wna tra bydd y sefyllfa honno yn parhau'.[6]

Y mae Watts, yn ei lyfr, *Theology and Psychology*, yn cynnig ymdriniaeth o natur yr enaid sy'n ceisio bod yn ffyddlon i'r ddeall-twriaeth draddodiadol o gydberthynas corff ac enaid a drafodir uchod, yn ogystal â'r meddylfryd cyfoes sy'n rhoi mwy o sylw i hunaniaeth ac i agweddau seicolegol a biolegol o'r person dynol.[7] Y mae'n dadlau dros ddealltwriaeth fwy cyfannol o'r enaid yn hytrach na'i weld fel un elfen yn y cyfanwaith dynol. Dylid gweld corff ac enaid nid yn nhermau deuoliaeth draddodiadol a chlasurol, felly, ond yn nhermau cyfanrwydd integredig. Yr enaid yw'r agwedd sy'n diffinio ansawdd y person cyfan: 'Lle mae ychydig ddyfnder ychydig enaid sydd . . . Y mae bywyd yr enaid dynol yn fywyd o flodeuo dilyffethair o'n cyflwr naturiol'. Yn yr ystyr hwn, y mae'r enaid yn anelu y tu hwnt i'r naturiol tuag at Dduw ('Greddf yr enaid yw mynd yn ddwfn, y cymhelliad ysbrydol yw esgyn i'r uchelder'[8]). Efallai, yn ôl Watts, bod y syniad o'r hunan yn y meddwl cyfoes wedi etifeddu llawer o ystyron yr enaid gan ei fod yn cwmpasu cyfanrwydd ein nodweddion personol, yn disgrifio'n byd olwg a'n profiad unigryw fel personau, ac yn mynegi'r modd y cawn ein gweld gan eraill. Yn ôl Watts, 'Gall y syniad o'r hunan gwmpasu gwahanol haenau o'r profiad sy'n darddiant ein hun-aniaeth, sef, y personol, y cymdeithasol, y corfforol a'r ysbrydol'.[9]

Hyd yn oed ar raddfa fiolegol, y mae'n amlwg, er bod gennym lawer sy'n gyffredin yn enetig ac ymddygiadol rhyngom a'r anifeil-iaid sydd agosaf atom yn esblygiadol, y mae gwahaniaethau sylfaenol ac amlwg rhyngom ac anifeiliaid eraill.[10] Yn un peth, mae'n ffaith mai bodau dynol yn unig sy'n medru defnyddio iaith eiriol, fel y cyfryw, er bod anifeiliaid eraill yn medru cyfathrebu, yn cynnwys cyfathrebu drwy symbolau ac arwyddion. Efallai mai un o'r nodweddion pwysicaf oll yw bod hunanymwybyddiaeth bodau dynol ar raddfa nad oes gyffelyb iddi mewn anifeiliaid eraill. Nodwedd bwysig arall yw bod ein trefn gymdeithasol yn llawer mwy cymhleth na'r drefn fwyaf cymhleth ymhlith unrhyw anifeiliaid eraill (megis ymhlith gwenyn a morgrug deil dorrol, gan gynnwys y gallu i drosglwyddo gwybodaeth rhwng cened-laethau. Yn olaf, y mae'r ffaith ein bod yn ystyried y cwestiynau astrus hyn o gwbl yn dystiolaeth fod ein gallu meddyliol a'n creadigrwydd yn llawer uwch nag mewn anifeiliaid eraill gan fod gennym, er enghraifft, y gallu i feddwl am a dadansoddi ein hunain a'n hymddygiad, a bodolaeth y byd o'n cwmpas.[11]

Nid bioleg yw'r cyfan, wrth gwrs. Y mae'r berthynas rhwng bioleg, ymddygiad a diwylliant yn bwysig mewn perthynas â deall y natur ddynol. Os mai parhad y cryfaf yw egwyddor sylfaenol esblygiad, egwyddor sy'n dibynnu am ei llwyddiant ar gystad-leuaeth, beth yw tarddiad a lle altrwistiaeth (sef, caredigrwydd, gofal am a haelioni tuag at eraill)? Y mae Ruse yn honni fod altrwistiaeth yn fwy tebygol na hunanoldeb i arwain at y bwriad hunanol o sicrhau parhad ein genynnau (er enghraifft, bydd adar yn amddiffyn eu cywion er mwyn sicrhau fod eu genynnau'n parhau drwy'r cywion).[12] Ai ymddygiad moesol yw hyn neu ymddygiad sydd wedi ei ragbenderfynu'n enetig? Dadleuodd Dawkins, fel y gwelsom ym Mhennod 5, y gellir esbonio popeth mewn perthynas ag ymddygiad dynol mewn termau genetig. Byddai'n dadlau, felly, fod popeth a wnawn wedi ei benderfynu gan ein genynnau.

Un agwedd ar y ddealltwriaeth Gristnogol o'r natur ddynol yw ein bod yn fodau sy'n rhydd i wneud dewisiadau gwirioneddol. Y mae Barbour yn dadlau na ellir cyfiawnhau damcaniaeth 'rhag-benderfyniad genetig' ar sail y dystiolaeth gyfredol gan fod ffactorau diwylliannol (sydd, yn yr achos hwn, yn cynnwys y bywyd cym-deithasol, celfyddydol a chrefyddol, yn ogystal â byd y dychymyg) ar waith: 'Pe bai ymddygiad dynol yn cael ei benderfynu gan y genynnau (yn unig) ni fyddai llawer y gallem ei wneud i'w newid'.[13] Ysywaeth y mae pobl yn medru newid eu hymddygiad, yn aml mewn ffyrdd eithafol a dramatig; ffaith sy'n awgrymu bod ffactorau heblaw rheolaeth enetig ar waith.

Yma eto y mae rhydwythiaeth yn dod i'r wyneb: hynny yw, yn y diwedd, gellir esbonio bob cymhlethdod yn nhermau ei elfennau symlaf . Y mae E. O. Wilson (un o'r awduron allweddol yn y maes hwn o ddylanwad diwylliant ar ymddygiad) yn honni y gellir:

> esbonio'r meddwl yn fanwl fel ffenomen sy'n tarddu ym mheirian-waith niwral yr ymennydd . . . Os gellir dadansoddi ac esbonio crefydd yn systematig fel cynnyrch esblygiad yr ymennydd bydd ei rym fel dylanwad allanol ar foesoldeb wedi diflannu am byth . . . Bellach gall gwyddoniaeth chwilio am sylfaen moesoldeb – seiliau materol (h.y. genetig) moesoldeb naturiol.[14]

Yn ôl y safbwynt hwn, dyma'r synthesis cyfoes terfynol sy'n esbonio pob seicoleg, pob gwyddor gymdeithasegol a phob ymddygiad, a hynny yn nhermau bioleg: y mae moesoldeb ac ymddygiad yn gynnyrch y meddwl, y meddwl yn gynnyrch dylanwadau diwyll-iannol, cymdeithasol a seicolegol ar y niwronau, y niwronau yn gynnyrch y genynnau, a'r genynnau yn gynnyrch biocemeg a bioffiseg. Honnir nad oes mwy i'w ddweud.

Fodd bynnag, tra bod angen i'r ddirnadaeth Gristnogol gofleidio agweddau creiddiol y meddwl, diwylliant, y genynnau a'r achosion cemegol a ffisegol, o'r braidd fod yr esboniad hwn o'r hyn sydd ar waith yn y person dynol yn cynrychioli'r weledigaeth Gristnogol o'r natur ddynol.

Y mae Barbour yn dadlau dros ddylanwad allweddol diwylliant mewn bioleg, a bod yr amrywiaeth ymhlith yr hil ddynol heddiw yn bennaf yn ganlyniad diwylliant yn hytrach na geneteg, bod dethol heddiw yn digwydd drwy brofiadau cymdeithasol a thros-glwyddiad gwybodaeth drwy gyfathrebu.[15] O safbwynt Cristnogol, y mae'r meddwl yn ganolog i'r natur ddynol. Sut mae deall y meddwl hwnnw? Beth yw'r berthynas rhwng prosesau cemegol a thrydanol yr ymennydd ac emosiwn, deallusrwydd a dychymyg? Yn sicr, y mae ymyrraeth gemegol yn medru dylanwadu ar ym-ddygiad. Y mae hyn yn awgrymu fod dylanwadau cemegol cryf ar waith. Fodd bynnag, ai dyna'r cyfan sydd i'w ddweud? O osod y cwestiwn mewn modd gwahanol: ydyw'n briodol i dybied mai cwestiwn biolegol yw'r cwestiwn am y natur ddynol, yn y bôn? Os oes mwy na phrosesau biolegol ar waith, y mae'r ateb i'r cwestiwn sylfaenol am y meddwl dynol yn gorwedd y tu draw i fioleg yn unig. Y mae angen mwy na bioleg i'w esbonio gyda'i allu anhygoel i ddirnad, dychmygu a breuddwydio.

Gellid ystyried y materion hyn yng nghyd-destun afiechyd meddyliol neu seiciatryddol. Gellir gosod y cwestiwn fel hyn: ydyw clefyd megis sgitsoffrenia yn gynnyrch nam genetig, newidiadau cemegol neu ffactorau amgylcheddol? Dylid nodi bod amheuaeth am y defnydd o'r gair 'clefyd' am yr afiechydon hyn, ar y dybiaeth nad clefydau, tebyg i gancr neu glefyd y galon, ydynt mewn gwirionedd. Dadleuir mai cyflwr personol, meddyliol a chymdeithasol sy'n tarddu'n bennaf ym mhrofiad ac amgylchiadau'r person sy'n dioddef y symptomau sy'n nodweddu'r cyflyrau hyn.[16] Os felly, nid dylanwadau ffisegol yn unig neu'n bennaf sydd ar waith yn y newidiadau hyn ym meddwl a chymeriad y dioddefydd, ond dylanwadau cymdeithasol ac amgylcheddol. Rhaid dod i benderfyniad ar y tyndra hwn cyn y gellir penderfynu pa fath driniaeth y dylid ei chynnig: triniaeth gemegol yn defnyddio cyffuriau sy'n aml yn gymhleth a chostus, triniaeth seicolegol nad yw'n defnyddio'r cyffuriau hyn, neu therapi personol a chymdeithasol sy'n ceisio arwain y person sy'n dioddef allan o'r cyflwr y mae ynddo. Y gwir, mae'n debyg, yw bod dylanwadau ffisegol a dylanwadau cymdeithasol yn cydweithio a chydblethu, a hynny'n arwain at newidiadau sylfaenol a difrifol ym mhersonoliaeth, agwedd ac ymddygiad y dioddefydd. Os felly, gallwn ddod i'r casgliad nad yw craidd y natur ddynol yn ffisegol na'n gymdeithasol ond yn gyfuniad cymhleth o elfennau sy'n cyfrannu at y person cyfan yn ei holl ddimensiynau.

Codwyd cwestiynau tebyg mewn perthynas â seicopathiaid.[17] Y mae ymchwil diweddar wedi awgrymu fod cyfuniad o nam genetig, camdriniaeth mewn plentyndod ac amgylchiadau bywyd yn ffactorau holl bwysig yng nghefndir pobl sy'n datblygu i fod yn seicopathiaid ac yn cyflawni gweithredoedd treisgar enbyd o greulon drosodd a thro. Nid yw hyn yn golygu fod pawb sydd â'r nodweddion hyn yn troi'n seicopathiaid ond y mae'n dangos fod llawer sy'n seicopathiaid yn meddu ar y nodweddion genetig, personol a chymdeithasol hyn. Felly, os yw hyn yn gywir a bod nodweddion o ymddygiad person yn tarddu mewn ffactorau genetig a chefndirol, y mae agweddau ar yr ymddygiadau hyn – i ryw raddau o leiaf – y tu hwnt i reolaeth yr unigolyn. Dyma ddadl arall, felly, o blaid yr honiad bod y natur ddynol yn tarddu mewn rhwydwaith o nodweddion ffisegol a chymdeithasol sy'n cydblethu i'w gilydd er mwyn creu'r person unigol.

Mae'n werth nodi fod hyn oll yn codi cwestiynau heriol parthed agweddau Cristnogol at ymddygiad pobl. Os mai grymoedd sy'n gyfuniad o'r ffisegol, y personol a'r cymdeithasol sy'n creu'r natur ddynol, ac felly'n gyfrifol am ymddygiad pobl tuag at ei gilydd, gellid dadlau nad oes lle i'r syniad o bechod, edifeirwch a maddeuant, gan fod ffactorau y tu hwnt i'n rheolaeth yn rhannol gyfrifol am ein hymddygiad. Y mae her foesol yn y fan hon, wrth gwrs. Y gwir, mae'n siŵr, yw ein bod, mewn amgylchiadau arferol, yn rhannol gyfrifol am ein hymddygiad, a dweud y lleiaf, hyd yn oed os nad ydym yn gyfan gwbl gyfrifol, a bod hynny yn rhoi lle yn ein dealltwriaeth Gristnogol o'r natur ddynol i waith maddeuant a gras Duw yn Iesu arnom.

Y mae'r ddealltwriaeth hon o'r natur ddynol yn unol â'r hyn a eilw Barbour yn 'undod aml-raddfa' sy'n cynnwys creadur biolegol, hunan cyfrifol a chyfanrwydd sy'n gyfuniad gweithredol o feddwl, ewyllys, teimladau a gweithredu.[18] Yn yr un modd, sonia'r Beibl am y natur ddynol yn nhermau creadur sy'n unigryw ymhlith creaduriaid (Genesis 1:26), unigolyn sy'n bodoli mewn cymdeithas a chymuned. Dyma ddealltwriaeth sy'n dynesu at y ddamcaniaeth fod esblygiad genetig a diwylliannol yn brosesau grŵp: rydym wedi esblygu fel bodau cymdeithasol. Yn ôl y Beibl a'r traddodiad Cristnogol, fe'n crëwyd 'ar ddelw Duw' a syrthiasom drwy bechod ac anufudd-dod. Gellid dadlau, felly, bod lle i'r ddealltwriaeth Gristnogol hon oddi mewn i'r undod aml-raddfa y mae Barbour yn ei gyflwyno.

Yn wyneb hyn oll, sut, yn awr, y mae ateb cwestiwn creiddiol y Salmydd, 'Beth yw dyn?' (neu, meidrolyn, yn ôl y *Beibl Cymraeg Newydd Diwygiedig* (2004) neu 'Beth ydy pobl?' yn *Beibl.net* (2015)). Yn gyntaf, y mae'r traddodiad Iddewig-Gristnogol yn gosod ei ffydd mewn Duw sy'n grëwr, yn gynhaliwr ac yn ddiben cread sy'n dal i gael ei greu a'i ail-greu. Ond nid yw Duw, hyd yn oed, yn medru gwybod y cyfan, gan na ellir gwybod yr hyn nad yw wedi ei benderfynu eto:

Rhaid bod Duw yn gwybod popeth y gellir ei wybod, ond os nad yw'r dyfodol yn bod eto, ni all Duw, hyd yn oed, ei wybod. Arwain hyn at y syniad o hollwybodaeth gyfredol. Y mae Duw yn gwybod popeth y medrir ei wybod yn awr ond nid yw eto'n gwybod popeth a fydd yn bosibl ei wybod yn y diwedd.[19]

Yn ail, y mae'n gosod pwysigrwydd terfynol ar berson a gwaith, marwolaeth ac atgyfodiad Iesu Grist oherwydd mai ynddo ef y mae'r Cristion yn gweld cyflawni natur, ystyr a phwrpas y ddynolryw a'r bydysawd. Yn olaf, y mae ffydd yn Nuw ac ym mherson a gwaith Iesu yn arwyddbyst i'r dyfodol, yn ffynonellau dyfnder ysbrydol ac yn cynnig gweledigaeth ar gyfer y dyfodol. Gwnânt hynny nid yn unig ar gyfer unigolion ynddynt eu hunain ond hefyd i unigolion oddi mewn i gymunedau sy'n rhannu eu dirnadaeth, eu hymrwymiad a'u gobeithion, ac a fedrant fod yn bartneriaid â Duw a'u cyd-feidrolion yn y broses o drawsnewid ac adfer byd sy'n wirioneddol ddatblygu.

Felly, beth am Genesis 1:26–8? 'Yna dywedodd Duw, Gwnawn fodau dynol'. Dyma ffordd y bardd a'r diwinydd o ddweud: y mae ystyr a phwrpas bod a bywyd dynol yn Nuw gan mai Duw sydd wedi rhoi siâp i'r hyn ydym: Duw yw'n tynged, ein dyfodol, ein gogoniant. Gall esblygiad (Darwin) esbonio sut y digwyddodd y broses a ddaeth â ni i'r fan hon. Genesis sy'n ein helpu i weld fod Duw wedi bod ar waith, ac ar waith o hyd yn y nerthoedd a'r dylanwadau a ddaeth â ni i'r fan hon. Yn y cyd-destun hwn, byddem yn dadlau nad oes gwrthdaro rhwng y weledigaeth feiblaidd a'r weledigaeth wyddonol gyfoes.

Dylid sylwi ar un manylyn bach: 'Gwnawn' (nid 'Gwnaf'). Gellid dadlau bod tystiolaeth yma fod cymundeb a chymdeithas a phartneriaeth yn hanfod Duw, Duw'r Tad, Duw'r Mab a Duw'r Ysbryd Glân, o'r dechrau'n deg a bod ein bywyd a'n tynged wedi'u llunio a'u llywio gan Dduw, a'n bod felly wedi'n bwriadu i fyw mewn cymuned a chymdeithas, partneriaeth a chwmnïaeth. Gwnaeth hynny drwy lunio'r ddynolryw 'ar ein delw, yn ôl ein llun' neu 'yn ddelw ohonom ni'n hunain, i fod yn debyg i ni' yn ôl *Beibl.net*. (Yn y *Good News Bible*: '*they will be like us and resemble us*'. Hynny yw 'Byddant yn debyg i ni'.) Yn ddiwinyddol, felly, y mae bywyd a bod Duw yng nghalon ein byw a'n bod ni. Fel Duw, yr ydym yn bod i rannu yn y gwaith o ail-greu ac adnewyddu'r greadigaeth. Felly, caiff y natur ddynol, yn ôl y ddirnadaeth Gristnogol, ei ffurfio i fod yn rhydd ac i gyflawni'r pwrpas dwyfol. Fe'n bwriadwyd i garu, i ofalu, i gwmnïa ac i dosturio. Y mae'r Cyflwyniad i'r adroddiad, *Cymru: Cymdeithas Foesol?* – a ysgrifennwyd gan Rowan Williams – yn ei roi fel hyn: 'Golyga [athrawiaeth delw Duw] . . . [fod] posibiliadau mewn pobl . . . i ddangos yn llawnach i'r byd sut un yw Duw.'[20] Trafodir athrawiaeth delw Duw wedyn yn nhermau perthynas, creadigrwydd, hunanaberth a deallusrwydd.

Fel y gwelsom, fodd bynnag, y mae athrawiaeth Gristnogol yn honni hefyd fod y ddelw hon sydd arnom wedi ei sarnu. Yng ngeiriau Paul: 'rydym oll wedi pechu ac yn amddifad o ogoniant Duw' (Rhufeiniaid 3:23). I gydbwyso â'r ddirnadaeth hon o'r natur ddynol y mae'r Testament Newydd yn cynnig realaeth arall. Iesu yw'r unig un a gyflawnodd 'ddelw Duw' ar y ddynolryw.

Yng Nghrist, sy'n ddelw Duw, y mae'r hyn yr ydym wedi'n bwriadu i fod wedi dod yn ffaith gyflawn a pherffaith a therfynol. Ef, felly, sy'n rhoi i ni allu, gras ac egni i gyflawni'r ddelw ddwyfol sydd arnom: 'Gan ras Duw, ac am ddim, drwy'r weithred yn Iesu Grist sydd wedi'n gosod ni'n rhydd' (Rhufeiniaid 3:24). Ffordd awdur y Llythyr at yr Hebreaid o fynegi hyn yw: 'Yr ydym yn gweled Iesu' (Hebreaid 2:5). Hynny yw, yn Iesu gwelwn yr hyn y gallwn fod a'r hyn a fyddwn.

Y mae Genesis yn ychwanegu'r gorchymyn dwyfol at y syniad o ddelw Duw: 'Llywodraethwch ar bysgod y môr' (Genesis 1:26). Gellir cysylltu â'r gair 'llywodraethu' y syniad o ddarostwng, o blygu popeth i ewyllys y ddynolryw, o feddu grym dros bob peth. Nid yw'r term hwn, fodd bynnag, yn golygu bod gan y ddynolryw hawl derfynol ac absoliwt dros y Ddaear a'r bywyd sydd arni. Pwyslais geiriau Genesis 1:26 yw cyfrifoldeb yn hytrach na hawl. I'r ddynolryw y rhoddodd Duw gyfrifoldeb i hyrwyddo a sicrhau ffyniant y Ddaear a'r holl greaduriaid. Y mae'r ddynolryw i fugeilio'r Ddaear a'i gwarchod (gweler Pennod 8).

Rydym wedi cael ein gosod yn rhydd, felly, nid i fod yn rheolwyr y greadigaeth ond i osod y greadigaeth yn rhydd i fod yr hyn y bwriadodd Duw iddi fod. O'r dechrau, partneriaid â Duw ydym yn y dasg o ddiwygio, adnewyddu ac adfer y cread, nes ei fod yn cyflawni pwrpas Duw ar ei gyfer o'r dechrau, sef, 'dwyn yr holl greadigaeth i undod yng Nghrist, gan gynnwys popeth yn y nefoedd ac ar y ddaear' (Effesiaid 1:9–10). Fe'n gelwir, felly, nid i fod yn hunanol ond i fod yn hael, i chwarae'n rhan i adeiladu ac ailadeiladu'r byd a'i bobl i enedigaeth newydd yn Iesu Grist.

Yn ôl Keith Ward,

Y mae credu yn Nuw yn arwyddo'r posibilrwydd o fywyd di-ddiwedd gyda Duw y tu hwnt i'r cosmos, ond hefyd fod y cosmos hwn yn dyngedfennol bwysig i ddatblygiad ['*genesis*' a ddefnyddir gan Ward] bodau dynol fel hunanau corfforedig . . . Ar ei gorau a'i mwyaf dilys, y mae crefydd yn ddisgyblaeth feddyliol sy'n anelu at gyflawniad y bywyd personol, fel y caiff ei drawsnewid gan bresenoldeb a grym daioni terfynol.[21]

90

8

Glendid Maith y Cread: Cristnogion a'r Amgylchedd

Daw'r gair 'ecoleg' o'r Roeg οἶκος (tŷ, cartref) a λογία (astudiaeth); bathwyd y gair gan Ernst Haeckel (1834–1919) yn 1866. Fel gwydd-or, cyfeiria ecoleg at ddadansoddiad gwyddonol ac astudiaeth o'r rhyngweithiadau rhwng organebau a'u hamgylchedd. Cynnwys hyn amrywiaeth, dosraniad, biomas, niferoedd, ynghyd â chystad-leuaeth rhwng ac oddi mewn i ecosystemau. Deillia'r meddylfryd ecolegol o ffynonellau athroniaeth, moeseg a gwleidyddiaeth. Fe'i sylfaenwyd gan Aristoteles a Hippocrates (*c.*460–370 CC) yn eu hastudiaethau o fyd natur; trawsnewidiwyd hyn i wyddor gydnabyddedig yn y bedwaredd ganrif ar bymtheg pan ddaeth cysyniadau esblygiadol ac addasiad Charles Darwin, Alfred Russel Wallace, Gregor Mendel ac eraill yn gonglfeini damcaniaethau cyfoes ecoleg. Canolbwyntia ecoleg ar brosesau bywyd, rhyng-weithiadau ac addasiadau; llif ac adlif ynni, elfen ac adnodd; datblygiad olyniaethol cymunedau ac ecosystemau; ynghyd ag astudiaethau amlder a dosraniad organebau, a bioamrywiaeth mewn cyd-destun amgylcheddol.

Amcangyfrif gwyddonwyr bod y Ddaear yn rhyw 4.5 biliwn o flynyddoedd oed. Credir ymhellach bod bywyd wedi ymddangos am y tro cyntaf rhyw 3.5 biliwn o flynyddoedd yn ôl. Gwyddom, trwy brofion ac arsylwadau gwyddonol, nad oedd nodweddion amgylcheddol y blaned yr un fath y pryd hynny ac y maent heddiw. Er enghraifft, ychydig iawn o ocsigen oedd yn bodoli yn yr atmosffer rhyw 4.5 biliwn o flynyddoedd yn ôl. Hyd at ryw 1.5 biliwn o flynyddoedd yn ôl, dim ond bacteria oedd yn byw ar wyneb y blaned – fe welir gweddillion rhain ar hyd arfordir gorllewinol

Awstralia. Gydag amser, datblygodd planhigion syml o'r bacteria, ac wrth i'r planhigion gynhyrchu ocsigen fe ymddangosodd trych-filod, ac, yn y pen draw, mamaliaid. Amcangyfrif o hyd yw pryd yn union yr ymddangosodd dyn – tybir mai rhyw 2.5 i 3 miliwn o flynyddoedd yn ôl ymddangosodd *Homo sapiens* am y tro cyntaf, tua dechrau Oes yr Iâ, a hynny, mae'n debygol, yn nyffrynnoedd dwyrain yr Affrig.[1]

Ers iddi ymddangos, mae'r rhywogaeth ddynol wedi dylanwadu ar y byd o'i chwmpas drwy effeithio ar yr amgylchedd bio-ffisegol, bioamrywiaeth ac adnoddau naturiol eraill. Ymysg y cyntaf i gyfeirio at sgil effeithiau anthropaidd oedd Arthur Tansley,[2] un o sylfaenwyr gwyddor ecoleg, nôl ar gychwyn yr ugeinfed ganrif; Paul Crutzen oedd y cyntaf i ddefnyddio'r term *Anthropocene* yn yr 1970au i ddisgrifio'n benodol effeithiau llygredd, ond hefyd yn gyffredinol y cyfnod digynsail cyfredol o ddylanwad dynol ar yr amgylchedd.[3] Yn ystod y cyfnod hwn hefyd daethom, fel rhyw-ogaeth, yn llawer mwy ymwybodol, nid yn unig o ganlyniadau ein bod, ond hefyd o'r modd y dibynna un rhywogaeth ar rywog-aeth arall am fodolaeth, am y gwead deinamig a fodola rhwng creaduriaid a'i gilydd, a rhwng creaduriaid a phlanhigion. Yn ei lyfr *Creation and the World of Science*, ysgrifennodd A. R. Peacocke:

> Mae pob planhigyn ac anifail yn byw mewn systemau cymhleth sy'n llawn o drawslifau a chyfnewidiadau ynni a sylwedd mewn gwahanol ffurfiau cemegol o'r fath gymhlethdod astrus fel mai dim ond dyfodiad cyfrifiaduron sydd yn cynnig unrhyw obaith i ni fedru eu dadansoddi.[4]

Cydbwysedd deinamig ond sensitif a berthyn i'r cread; ni chymer lawer i'w ddanseilio. Yn *Only One Earth*, llyfr a ddefnyddiwyd fel deunydd ymgynghorol yng Nghynhadledd Gyntaf y Cenhedloedd Unedig ar yr Amgylchedd yn Stockholm yn 1972, datgan Barbara Ward a Rene Dubos:

> Mae'r gwersi a ddysgwn wrth geisio cyfannu hanes diderfyn ein bydysawd a Phlaned Daear yn ein dysgu am un peth yn fwy na dim arall – yr angen am y gofal eithaf, synhwyriad o'r ehangder

arswydus a chymhlethdod y grymoedd a ellid eu gollwng yn rhydd, ac eiddilwch plisgyn ŵy trefniadau a ellid eu disodli.[5]

Beth, felly, ddylai agwedd y Cristion fod tuag at fyd natur a thuag at y cread yn ei gyfanrwydd? Ydyw'r ffydd Gristnogol wedi diffinio ei pherthynas â'r cread mewn modd sy'n ateb heriau amgylcheddol yr unfed ganrif ar hugain? Hallt oedd beirniadaeth Lynn White yn ei draethawd yn 1967: ynddo ysgrifennodd 'Arlliwiwyd ein gwyddoniaeth a'n technoleg gyfredol i'r fath raddau gan . . . haerllugrwydd uniongrededd Cristnogol tuag at fyd natur fel nad oes gobaith i'r un ohonynt gynnig ateb i'n sefyllfa ecolegol.' Credai White bod y ffocws Cristnogol ar anobaith parthed llygredigaeth yn y presennol a'r gobaith am adnewyddiad gan Dduw yn y dyfodol wedi cyfyngu Cristnogion i fod yn *'so heavenly minded as to be of no earthly use'*.[6] Yn sicr, bu i'r ddynolryw gredu a darbwyllo ei hun bod ganddi statws uwch na phob organeb arall sy'n bodoli ar y blaned. Nid felly'r ddealltwriaeth wyddonol. Yn 1871, cyhoeddwyd ail lyfr Charles Darwin, *The Descent of Man, and Selection in Relation to Sex*. Yn dilyn *Origin of Species* cymhwysa Darwin Ddamcaniaeth Esblygiad i ddatblygiad y ddynolryw, ac amlinella ei ddamcaniaeth ar ddetholiad rhywiol. Fel yr eglura Darwin yn *The Origin of Species*, unig bwrpas ei destun yw 'ystyried, yn gyntaf, ai disgynyddion yw'r ddynolryw, fel pob rhywogaeth arall, o ffurf a oedd eisoes yn bodoli; yn ail, dull y datblygiad hwnnw; ac yn drydydd, gwerth y gwahaniaethau rhwng yr hyn a elwir yn hiliau dynol'.[7] Wrth ystyried esblygiad dynol tynnai Darwin gymariaethau rhwng y ffurf ddynol ac anifeiliaid eraill – tebygrwydd anatomegol, ffurf corff, embryoleg ac organau cyntefig a fu unwaith yn ddefnyddiol yng nghyndeidiau'r ddynolryw ond nad oes iddynt bellach ddiben amlwg. Aeth ymlaen wedyn i ddangos tebygrwydd nodweddion meddyliol. Gan ganolbwyntio ar gariad, clyfrwch, crefydd, caredigrwydd ac allgaredd cyflwyna dystiolaeth o nodweddion tebyg mewn epaod, mwncïod a chŵn. Â yn ei flaen i gymharu crefydd â ffetis anwariaid, gan ddadlau mai o farbareiddiwch y datblygodd gwareiddiad ac nad 'cwymp o ras' oedd hyn. Yn syml, daw i'r casgliad bod y gwahaniaeth rhwng 'dyn ac uwch-anifail, er yn sylweddol, yn un o radd yn hytrach nag yn un o fath'.[8] Hynny yw, nid oes gwahaniaeth hanfodol rhwng natur pobl ac uwch-anifeiliaid: y mae'r amrywiaeth ymddygiad rhyngddynt â'i gilydd yn tarddu yn y ffaith fod rhai nodweddion wedi eu datblygu'n llawnach mewn pobl nag mewn uwch-anifeiliaid.

Dadl draddodiadol meddylfryd Iddewig-Gristnogol yw bod Duw wedi creu dynolryw gan roi iddi gomisiwn arbennig i arglwyddiaethu yn ac ar y cread ac i ymelwa ar ei gynnwys a'i adnoddau: 'Bendithiodd Duw hwy a dweud, "Byddwch ffrwythlon ac amlhewch, llanwch y ddaear a darostyngwch hi: llywodraethwch ar bysgod y môr, ar adar yr awyr, ac ar bopeth byw sy'n ymlusgo ar y ddaear"' (Genesis 1:28). Eto, yn amser Noa: 'Bydd eich ofn a'ch arswyd ar yr holl fwystfilod gwyllt, ar holl adar yr awyr, ar holl ymlusgiaid y tir ac ar holl bysgod y môr; gosodwyd hwy dan eich awdurdod. Bydd popeth byw sy'n symud yn fwyd i chwi' (Genesis 9:2–3). Cred ac agwedd gyfan gwbl ddyn-greiddiol. Yn un o'i phapurau trafod, *In Relationship with Creation*, noda Ruth Page mai un o 'beryglon mawr' Cristnogaeth yw'r gred mai yn y rhywogaeth ddynol yr ymddiddora Duw fwyaf.[9] Mae Lawrence Osborne, yn *Guardians of Creation*, yn dilyn trywydd tebyg ac yn sôn bod y Beibl, er yn tanlinellu'r gwahaniaeth rhwng dynolryw a gweddill y greadigaeth, yn gwneud hynny trwy gyflwyno dynolryw fel creaduriaid wedi cael galwad arbennig, ac wedi derbyn rôl unigryw, fel rhan o economi Duw a'r cread.[10] Â Lawrence Osborne ymhellach trwy nodi bod yn rhaid derbyn y cread fel anrheg: o roddi'r anrheg i ddynolryw mae Duw yn cynnig ei hun i'r rywogaeth ddynol ac yn cynnig ei greadigaeth i'r ddynolryw.[11] Dyma oedd dadl Schmitz pan ysgrifennodd yn 1982: 'ynghyd â rhoi yr hyn sy'n eiddo iddo, cymeradwya ei hun i ni'.[12]

Nid yw syniadaeth Osborne yn newydd. Cyfeiria Dietrich Bonhoeffer, yn ei lyfryn *Creation and Fall*, at bwysigrwydd deall pa fath ryddid a ddaw i law'r derbyniwr o dderbyn y fath anrheg. Mynna Bonhoeffer mai 'rhyddid perthnasol' yw'r rhyddid hwn, sef, 'bod yn rhydd er mwyn y llall . . . oherwydd ymrwymodd y llall â mi yn ei rodd. Dim ond mewn perthynas â'r llall yr wyf innau'n rhydd.'[13] Datgan Bonhoeffer bod y math hwn o ryddid yn cynnwys adnabod a chydnabod y berthynas rhwng unigolyn a gweddill dynolryw, â Duw ac â byd natur hefyd. Datblyga Bonhoeffer y ddadl ymhellach. Ni ellir derbyn yr anrheg heb ddeall dymuniad y rhoddwr. Rhaid derbyn, felly, yng nghyd-destun y greadigaeth, rodd Duw o'r Ddaear gan ddeall fod dynolryw yn rhan unigryw, cwbl annatod ohoni, yn union fel pob creadur, planhigyn ac organeb arall sydd hefyd yn byw arni. Y mae'r ddynolryw, felly, ar y naill law, yn rhan annatod o wead pob bywyd ar y Ddaear ond, ar y llaw arall, yn unigryw am mai'r ddynolryw'n unig sydd, yn ôl y traddodiad Cristnogol beiblaidd, 'ar lun a delw' Duw (Genesis 1:26). Bu i Ffransis Sant ar droad y drydedd ganrif ar ddeg gynnig i Gristnogaeth y Gorllewin safbwynt amgen ar y berthynas rhwng byd natur a dynolryw: ceisiodd amnewid syniadaeth o'r rhywogaeth ddynol yn rheoli'r greadigaeth â'r syniad o gydraddoldeb rhwng creaduriaid, gan gynnwys y ddynolryw. Methodd. Ai dyma wir achos ein sefyllfa heddiw?

Stiwardiaeth

'Ni ellir gwerthu tir yn barhaol, oherwydd eiddof fi yw'r tir, ac nid ydych chwi ond estroniaid a thenantiaid i mi' (Lefiticus 25:23). Prydlesol ac nid rhydd-ddaliadol yw perchnogaeth y ddynolryw o'r Ddaear; mae'n berchnogaeth sy'n ymgorffori cysyniad stiwardiaeth. Duw sydd wedi rhoi'r hawl i ddynolryw, trwy roddi'r byd yn anrheg iddi, i 'arglwyddiaethu'. Diffinia John Calvin, mewn modd unigryw o gynhwysfawr, beth a olygir gan stiwardiaeth yng nghyd-destun y ffydd:

> Rydym yn meddu'r pethau hyn a draddododd Duw i'n gofal ar yr amod ein bod boddloni ar wneud defnydd cynnil a chymedrol ohonynt a'n bod yn gofalu dros yr hyn sy'n weddill. Boed i hwnnw sy'n berchen cae, ymgymryd o'i ffrwythau blynyddol, gan sicrhau na niweidir y tir trwy ddiofalwch; bydded iddo wneud pob ymdrech i'w drosglwyddo i'w ddisgynyddion yn y cyflwr y'i derbyniwyd, os nad mewn cyflwr gwell. Boed iddo fwyda ar ei ffrwythau, ond mewn modd na fydd yn afradloni trwy foethusrwydd, na'i andwyo a'i ddinistrio trwy esgeulustod. Ymhellach, fel bod y cynildeb a'r

dyfalbarhad, yng nghyd-destun y pethau a roddodd Duw i ni eu mwynhau, yn ffynnu yn ein plith, boed i bob un ystyried ei hun yn stiward i Dduw ar bopeth y perchnoga. O wneud hyn, nid yw'n arddangos ymarweddiad afradlon, na'n llygru trwy gamddefnydd, y pethau hynny y mynna Duw eu gwarchod.[14]

Ynghlwm â'r cysyniad o stiwardiaeth ceir hefyd yr awgrym o fod yn un â byd natur. Os ydyw Duw yn un â'r cread, oni ddylai'r ddynolryw hefyd fod yn un â gweddill y cread? Yn wir, gellid dadlau, yng nghyd-destun tystiolaeth wyddonol ac esblygiadol, yn arbennig felly ym meysydd geneteg a bioleg moleciwlaidd, nad oes llawer o wahaniaeth rhwng y rhywogaeth ddynol a nifer sylweddol o rywogaethau eraill.[15]

Gellir sôn am stiwardiaeth fel ymddiriedolaeth.[16] Yn union fel y derbyn ymddiriedolwyr amgueddfeydd ac orielau cenedlaethol ymddiriedaeth y cyhoedd i ofalu am gelfyddyd, archifau a phen-saernïaeth cenedl, onid felly hefyd ymddirieda Duw yn y ddynolryw i edrych ar ôl ei greadigaeth? Datblygwyd y syniadaeth o stiwardiaeth o'r cread ymhellach gan Walter Brueggemann.[17] Ynghyd â'r awdurdod a roddir gan Dduw i'r ddynolryw, y mae disgwyl hefyd i'r ddynolryw fod yn stiwardiaid ffyddlon a gofalus o'r greadigaeth, gan sicrhau cyflawniad pwrpas Duw. Yn benodol, er cael awdurdod i ddefnyddio natur er budd y ddynolryw, rhaid gwneud hynny mewn ufudd-dod i ewyllys Duw. Canlyniad peidio sicrhau defnydd cywir a phriodol yw niwed sy'n effeithio ar holl strwythur swyddogaethol y blaned. Ynghlwm wrth ddealltwriaeth Brueggemann o stiwardiaeth mae'r cysyniad y deillia stiwardiaeth o'r gobaith Cristnogol na achubir dynolryw ar wahân i'r greadigaeth ond fel rhan ohoni.[18] Datblygwyd y cysyniad hwn ymhellach gan Peacocke mewn ymdriniaeth llawer mwy eschatolegol ei naws lle dadleuir i ddynolryw gael ei chreu fel cyd-greawdwyr â Duw; y dwyfol a'r dynol yn cyd-weithio i greu ac achub y byd.[19] Cyfeirir at hyn fel cysyniad *creatio continua*.[20]

Tanseiliwyd agweddau o'r ddealltwriaeth gydsyniol am stiward-iaeth a oedd wedi datblygu yn ystod yr 1970au a'r 1980au gan waith Gustafson.[21] Gwelodd llawer ei ddehongliad yn ail-gynnau'r tueddiadau traddodiadol Iddewig-Gristnogol. Ar ei symlaf, dadl

Gustafson oedd bod gan y rhywogaeth ddynol y gallu ymenyddol, moesol ac ysbrydol i reoli prosesau naturiol. Gan mai mewn 'gardd' yn hytrach nag 'anialwch' y crëwyd y ddynoliaeth, onid oes, felly, ddisgwyliad ar, a chyfiawnhad cynhenid arni i 'drin' y blaned? Rhaid felly, bod rhyw fath ar hierarchaeth yn bodoli oddi mewn i'r greadigaeth. Anwybyddwyd y ffaith i Gustafson ganolbwyntio ar ddehongli'r cysyniad hwn o reolaeth o'r cread gan y ddynolryw fel un a oedd yn benodol unol ag ewyllys Duw, yn hytrach nag fel ymateb i chwantau dynol.

Yn y Testament Newydd ceir aml gyfeiriad at stiwardiaeth, *oikonomia* (e.e. Luc 16:2–4; 1 Corinthiaid 9:17) ac at stiward y tŷ, *oikonomeo*.[22] Yn ei lyfr, *Conservation and Lifestyle*, cyfeiria Klaus Bockmul at y gwahanol gyd-destunau lle y defnyddir y cysyniad o stiwardiaeth yn y Testament Newydd:[23] er enghraifft, agweddau (Mathew 6:2–4; 6:19–33; Marc 14:11; Actau 8:18–23; Rhufeiniaid 13:8); perchnogaeth (Mathew 4:8–9; Colosiaid 1:16–18); gwaith (2 Thesaloniaid 3:6–13) a ffordd o fyw (Luc 3:1–14; 12:16–31; 19:1–8; 1 Timotheus 6:6–19). Cred Bockmul y dylai pob Cristion feddwl amdano'i hun fel ffermwr wedi derbyn tenantiaeth ar fferm y cread. Fel tenant, mae gan y Cristion yr hawl i wneud defnydd o'r hyn sydd ar gael ar y fferm, ond mae hefyd yn atebol i Dduw am y modd y defnyddia'r hawl hwnnw. Pwysleisia'r Testament Newydd hefyd na ddylid bod yn drachwantus; dim ond yr hyn sydd ei angen dylid ei ddisgwyl: 'A chwithau, peidiwch â rhoi eich bryd ar beth i'w fwyta a beth i'w yfed, a pheidiwch â byw mewn pryder' (Luc 12:29); 'Os oes gennym fwyd a dillad, gadewch inni fodloni ar hynny' (1 Timotheus 6:8). Mewn ymdriniaeth ddeongliadol dreiddgar datblygodd Peter Kockelkoren raddfa o ymagweddau amgylcheddol posibl:[24] teyrnaswr a wêl y Ddaear yn adnodd i ymelwa ohono; stiward sy'n ymarfer y ddyletswydd i ofalu am y cread; partner sy'n ymateb i bob ffurf nad yw'n ddynol fel pe baent yn gynghreiriaid posibl; neu cyfranogwr sy'n gweithio ar y cyd â'r cread. Penderfynu ym mhle ar y continwwm hwn y saif y cyfrifoldeb Cristnogol yw'r her i'r Cristion.

Egwyddorion safbwynt amgylcheddol Cristnogion

Yn ddiweddar, bu i John Bergstrom, Athro Economeg a Pholisi Amaethyddol Prifysgol Georgia, UDA, grynhoi egwyddorion y safbwynt Cristnogol tuag at amaethyddiaeth, adnoddau naturiol a'r amgylchedd. Cynigir tair egwyddor sylfaenol ganddo.[25] Yn gyntaf, egwyddor gwerth y cread, sy'n tanlinellu fod Duw yn rhoi gwerth ar ei greadigaeth, gan gynnwys yr elfennau hynny sy'n annibynnol ar y ddynolryw.[26] Yn ei farn ef, dadlau dros barhad athroniaeth Platon a'r Gnosticiaid a wna unrhyw Gristion a ddywed 'nid yw natur o unrhyw wir bwysigrwydd gan mai rhan o'r byd ffisegol, yn hytrach na'r ysbrydol yw'. Rhybuddia Bergstrom, er hynny, bod angen gochel rhag cred sy'n dadlau cyfartaledd rhwng pobl a natur (e.e. athroniaeth 'ecoleg dwfn'[27]); tanlinellir bod Duw, er yn ymhyfrydu ym myd natur, yn rhoi 'gwerth' uwch ar ddynolryw fel penllanw ei greadigaeth (Genesis 1:26–30; Salm 8:5–8). Yn ail, egwyddor trefn a phwrpas gynaliadwy, sy'n cynnig bod Duw wedi creu elfennau ei greadigaeth i gydweithio mewn modd trefnus oddi mewn i systemau rhyngweithiol, a hynny er mwyn cyfarfod â gofynion y presennol. Ni fu i Dduw orffen ei ymwneud â'i greadigaeth ar ddiwedd Genesis 1. Parhau i gynnal a dal ynghyd weithgarwch natur a wna'r Duw tri unol, gan sicrhau trefn a phwrpas i holl elfennau byw a di-fywyd systemau natur a naturiol ei greadigaeth. Gwna hyn oherwydd ei fod ef ei hun yn caru ac yn mwynhau'r cread, tra ar yr un pryd, yn sicrhau fod natur yn gymorth i'r ddynolryw sicrhau bwyd a chysgod (Genesis 2:15; Genesis 9:3), ac yn fodd i ogoneddu a datgelu Duw i bawb ym mhobman: 'Y mae'r nefoedd yn adrodd gogoniant Duw, a'r ffurfafen yn mynegi gwaith ei ddwylo. Y mae dydd yn llefaru wrth ddydd, a nos yn cyhoeddi gwybodaeth wrth nos. Nid oes iaith na geiriau ganddynt, ni chlywir eu llais, eto fe â eu sain allan drwy'r holl ddaear a'u lleferydd hyd eithafoedd byd' (Salm 19:1–4). Yn drydydd, egwyddor llygredigaeth ac achubiaeth gyfanfydol. Bu i ddynolryw fethu; pechaduriaid yw'r ddynolryw. Rhaid, felly, wrth faddeuant a gras achubol perthynas bersonol â Iesu Grist (1 Ioan 1:8–9). Gwyddom hefyd, 'darostyngwyd y greadigaeth i oferedd . . . yn y gobaith y cai'r greadigaeth hithau ei rhyddhau

o gaethiwed a llygredigaeth' (Rhufeiniaid 8:20–1). Daw achub-
iaeth i ddynolryw trwy Iesu, ac adferir y berthynas â Duw. Ynghyd
â hyn, gwaredir hefyd y greadigaeth o'i llygredd 'a'i dwyn i ryddid
a gogoniant plant Duw' (Rhufeiniaid 8:21). I grynhoi, ceisia
Bergstrom ein darbwyllo bod stiwardiaeth Gristnogol yn cydnabod
bod y greadigaeth wedi ei chreu gan Dduw, yn perthyn i Dduw,
ac o werth i Dduw am yr hyn ydyw. O ganlyniad, gwaith y Cristion
yw defnyddio'r greadigaeth er budd Duw ac er budd y ddynolryw.
Mae parchu planhigion, anifeiliaid ac elfennau eraill o'r gread-
igaeth yn dangos parch i'r Duw tri unol. Mae'r stiward Cristnogol
yn parchu'r greadigaeth am fod iddi hithau le yn adferiad ac
achubiaeth 'y nef newydd a'r ddaear newydd' (Datguddiad 21:1).
Gocheler, rhybuddia Bergstrom, rhag gwneud y greadigaeth yn
wrthrych addoliad; yr arlunydd nid y darn celfyddyd sydd i'w
anrhydeddu.

Diweddglo

Mae gan Gristnogaeth draddodiad hir o ddwys ystyried cyfrifoldeb
y ddynolryw tuag at fyd natur. Rhaid cydnabod tueddiad ym-
agweddiad Cristnogaeth i fod yn anthroposentrig, a thanlinellwyd
hynny yn nadansoddiadau sylwebwyr fel Lynn White a Ruth Page
(gweler uchod). Ceir nifer o Gristnogion sy'n ymdrin â'r berthynas
yn llawer mwy biosentrig ac er, yn hanesyddol, i'r Eglwys Gatholig
Rufeinig ganolbwyntio ar y ddynolryw yn hytrach na'r 'syniad
haniaethol o natur'[28] bu i'r Pab Ioan Pawl II ddatgan yn 2001 nad
cenhadaeth y Cristion oedd bod yn 'feistr absoliwt a diamheuaeth
ond yn stiward o deyrnas Duw'.[29] Cadarnhawyd hynny ynanerchiad
y Pab Bened XVI ar Ddiwrnod Heddwch 2008 pan alwodd ar
Gatholigion, wrth gyfaddef bod 'trysorau'r Ddaear wedi eu gorfodi
i wasanaethu pwerau ymelwad a dinistr', i fod yn well stiwardiaid
dros greadigaeth Duw gan beidio 'ystyried yn hunanol mai unig
swydd natur yw bod at wasanaeth ein mympwyon'.[30] Pwysleisia
amgylcheddwyr Cristnogol gyfrifoldebau ecolegol Cristnogion fel
stiwardiaid o ddaear Duw. Ceir canllawiau gan Dduw o'r hyn y
dymuna i ddynolryw ei wneud â'r greadigaeth (Genesis 1:28); fe'n

hatgoffir mai rôl gyntaf Adda yng Ngardd Eden oedd ei 'thrin a'i chadw' (Genesis 2:15). Stiwardiaeth nid perchnogaeth yw pwyslais y Beibl – erys y Ddaear yn eiddo'r Arglwydd (Salm 24:1) ac nid ei phreswylwyr (Lefiticus 25:23).

Mae gan E. O. Wilson eiriau priodol i gloi'r bennod hon:

> crefydd a gwyddoniaeth yw'r ddau rym mwyaf pwerus yn y byd heddiw . . . pe gellid cyfuno crefydd a gwyddoniaeth ar dir cyffredin cadwraeth fiolegol, byddai'r broblem wedi ei datrys mewn chwinciad. Os oes y fath beth a gwireb foesol a rennir gan bobl o bob cred, er parch i ni'n hunain ac i genedlaethau'r dyfodol, amgylchedd hardd, cyfoethog ac iach yw honno. Rydym ni sy'n byw heddiw naill ai'n mynd i ennill y ras yn erbyn difodiant, neu ei cholli, a bydd goblygiadau hynny am byth. Yn ddibynnol ar yr hyn ddigwydd, fe wnawn ennill parch neu ddirmyg tragwyddol.[31]

9

Credwn yn Nuw

Yng ngoleuni'r penodau blaenorol, rhaid i ni yn awr ofyn a ydyw'n dal yn bosibl i sôn yn ystyrlon am Dduw, neu i gyffesu, yng ngeiriau'r credoau traddodiadol, 'Credwn yn Nuw'? Wedi'r cyfan, y mae llawer (megis Dawkins a Hawking) wedi honni fod darganfyddiadau a damcaniaethau gwyddonol y ganrif a hanner diwethaf, yn cynnig dadleuon cryfion yn erbyn credu yn Nuw a bod y syniad traddodiadol am Dduw, beth bynnag oedd hwnnw, wedi ei ddisodli gan y ddealltwriaeth wyddonol, empeiraidd o darddiadau a natur y bydysawd a'r bywyd dynol sydd ar y Ddaear. Amcan y bennod olaf hon fydd ystyried i ba raddau y mae'r honiadau hyn yn ddilys ac i ba raddau y mae'r gyffes Gristnogol, 'Credwn yn Nuw', yn dal yn ystyrlon. Er mwyn gwneud cyfiawnder â'r dasg hon bydd rhaid, yma ac acw, ailadrodd pethau a ddwedwyd eisoes mewn penodau blaenorol.

Y dadleuon dros fodolaeth Duw

Y diwinydd a'r athronydd a osododd sylfeini'r meddwl Cristnogol am Dduw ers y Canol Oesoedd oedd Tomos Acwin. Yn ei *Summa Theologiae* (Crynodeb o Ddiwinyddiaeth) y mae'n ymdrin ar gychwyn y gyfrol gyntaf â'r cwestiwn 'A oes Duw?'[1] Yn wir, yn ôl Davies, 'Â Duw yn bennaf oll y mae a wnelo athroniaeth Tomos. Ystyriai mai Duw yw "dechrau a diwedd pob peth".' Y mae'n nodi – wrth fynd heibio, bron – fod ceisio profi nad oes Duw bron â bod yn athronyddol amhosibl, gan ei bod yn amhosibl – a byddai gwyddoniaeth gyfoes yn derbyn y cynsail hwn – i ddadlau nad oes rhywbeth neu brofi absenoldeb rhywbeth. Barn Acwin fodd bynnag, yw nad oes gennym fel bodau dynol ymwybyddiaeth gynhenid ynom ein hunain o fodolaeth Duw ac na allwn 'wybod bod yna Dduw ond trwy gasglu hynny oddi wrth y byd sy'n hysbys inni trwy ein synhwyrau'.[2] Felly, y mae'n cynnig ei Bum Ffordd enwog sy'n cyflwyno cyfres o ddadleuon sy'n ein cynorthwyo i ddod i'r casgliad bod yna Dduw mewn gwirionedd. Trwy ystyried nifer o agweddau ar y byd naturiol megis 'newid, dibyniaeth ar achosion, dyfod i fod a darfod, graddau o ddaioni, a hynt weithredol pethau naturiol'[3] a'r enwocaf ohonynt, 'bodolaeth cynllun', daw i'r casgliad na ellir mewn gwirionedd roi cyfrif am unrhyw un o'r agweddau hyn ar fodolaeth y bydysawd oni bai ein bod yn mynd y tu hwnt i esboniadau arferol a chyffredin y byd. Yr unig ateb sy'n cynnig esboniad derbyniol i'r ffenomenau hyn yw'r ensyniad o Dduw, yr un sydd 'y tu hwnt i'r hyn y deuwn ar ei draws yn y byd'.

Wedi ystyried bodolaeth Duw, y mae Tomos Acwin yn mynd ymlaen i ystyried bodolaeth y bydysawd. Hynny yw, 'Paham y mae byd o gwbl?' Yn ôl Davies, i Tomos Acwin 'efallai mai hwn yw'r cwestiwn pwysicaf oll . . . Ac fe rydd Tomos yr enw "Duw" i beth bynnag sy'n ateb i'r cwestiwn hwn. Duw, yn ôl Tomos, yw'r rheswm paham y mae yna fydysawd o gwbl.'[4]

I'n diben ni, yr elfen olaf o ddirnadaeth Tomos Acwin o natur Duw y dylid cyfeirio ati yw ei honiad fod y Duw a ddaw'n hysbys i ni trwy brosesau a nodweddion y greadigaeth, y Duw sy'n esboniad o fodolaeth popeth sydd hefyd y tu hwnt i'n dirnadaeth ddynol ni:

> Y mae Duw yn fwy na'r cwbl y gallwn ni ei fynegi, yn fwy na'r cwbl y gallwn ni ei wybod; ac (y mae) nid yn unig y tu hwnt . . . i'n hiaith a'n gwybodaeth, eithr y tu hwnt i amgyffrediad unrhyw ddeall o gwbl, hyd yn oed i feddyliau angylaidd, ie, a'r tu hwnt i fod unrhyw hanfod.[5]

Deil nifer o Gristnogion i weld grym atyniadol yn y dadleuon hyn. Tra na ellir gwrthbrofi bodolaeth Duw, mwy nag y gellir gwrthbrofi bodolaeth unrhyw 'beth' (gan fod profi'r negyddol yn athronyddol amhosibl), gellid gweld dadleuon Tomos Acwin fel arwyddbyst, o leiaf, tuag at Dduw ac arweiniad i ni gael rhyw ddirnadaeth o Dduw. A hynny, er bod Duw, yn ei hanfod, y tu hwnt i bob deall, yn 'anfeidrol, annherfynol Fod a'i hanfod ynddo'i hun'.[6]

Fodd bynnag, byddai llawer, hyd yn oed ymhlith Cristnogion, yn dadlau hefyd bod gwyddoniaeth gyfoes yn ein gorfodi i wrthod neu, o leiaf, i amau'r dadleuon canoloesol hyn ac yn sicr i wrthod y syniad fod Pum Ffordd Tomos Acwin yn brofion o fodolaeth Duw mewn unrhyw ystyr arferol o'r gair 'prawf'. Nid ydyw'n bosibl bellach, meddir, i ddadlau, fel y gwnaeth Tomos, mai Duw yw'r ateb i'r cwestiwn hanfodol, paham y mae unrhyw beth yn bod? Bellach, meddir, rhydd gwyddoniaeth atebion cyflawn i'r cwestiwn hwn ac nid oes angen mynd i fyd metaffisegol a thros-gynnol athroniaeth y canol oesoedd i ddod o hyd i atebion. Y mae Richard Dawkins, fel enghraifft, yn eu gwrthod heb flewyn ar dafod: *'The five "proofs" asserted by Thomas Aquinas . . . don't prove anything and are easily – though I hesitate to say so, given his eminence – exposed as vacuous.'*[7] Prif ddadl Dawkins yw bod y 'profion' hyn yn dibynnu ym mhob achos ar ddadlau fod, er enghraifft, achos terfynol y tu cefn i bob achos, cynllunydd terfynol y tu cefn i bob cynllun, a'r daioni mwyaf a therfynol y tu cefn i ac uwchlaw pob daioni dynol. Os ydym yn dadlau mai Duw yw'r achos terfynol, y cynllunydd terfynol a'r daioni mwyaf, cwestiwn Dawkins yw: ar ba sail y gallwn ddadlau mai Duw yw'r achos a'r cynllunydd terfynol, a'r daioni mwyaf? Sut mai gwybod nad oes achos, neu gynllunydd neu ddaioni mwy na'r un a enwir gennym ni yn Dduw? Sut y gallwn wybod nad oes achos neu gynllunydd neu ddaioni sydd y tu cefn neu y tu hwnt i Dduw? Mewn geiriau eraill, sut mae gwybod mai Duw sydd yn y diwedd y tu cefn i bob peth ac na grëwyd Duw hefyd; ac os yw wedi ei greu, 'pwy greodd Duw?' Gan nad oes gan neb ateb i'r cwestiwn hwn, y mae'n debygol mai rhith yw Duw ac, felly, yng ngeiriau'r hysbyseb enwog *'There's probably no god. Now stop worrying and enjoy your life'* neu yn ôl Dawkins ei hun, 'Y mae bron yn sicr nad yw Duw'n bodoli.'[8]

Y mae gwendid amlwg yn y dadleuon hyn. Yn un peth, y mae'n amheus iawn fod neb bellach (ac na fyddai Tomos Acwin ei hun, yn wir) yn gweld y Pum Ffordd fel 'profion' o fodolaeth Duw. Nid ydynt, ym marn y mwyafrif o athronwyr crefydd a diwinyddion yn ceisio profi bodolaeth Duw. Yn hytrach, yn ôl McGrath (mewn llyfryn sy'n mynd i'r afael â dadleuon Dawkins mewn modd gafaelgar, rhesymol a rhesymegol), mynegiant ydynt o 'gysondeb mewnol cred yn Nuw'. Dadl McGrath yw mai amcan Tomos oedd dangos fod y cread 'yn adlewyrchiad o Dduw, ei greawdwr. Rhagdybiaeth sy'n tarddu mewn ffydd sy'n cyseinio â'r hyn a welwn yn y byd.'[9] Camgymeriad yw meddwl mai profion yw'r Pum Ffordd.

Y mae McGrath yn tynnu sylw at wendid arall hefyd, sef, fod Dawkins, wrth ddadlau fod y ffaith fod neb yn medru ateb yn foddhaol y cwestiwn, pwy greodd Duw?, wedi anghofio fod cwestiwn tebyg wedi poeni gwyddonwyr yn ystod hanner olaf yr ugeinfed ganrif. Bu gwyddonwyr megis Stephen Hawking yn chwilio'n ddyfal am 'Ddamcaniaeth Popeth' (*the Theory of Everything*). Byddai darganfod y ddamcaniaeth hon yn rhoi terfyn ar bob dyfalu gan y byddem wedyn yn deall popeth ac yn medru esbonio popeth. Ni fyddai angen esboniad pellach gan y byddai pob cwestiwn gwyddonol wedi ei ateb ac ni fyddai atebion pellach yn bosibl. Y ddamcaniaeth hon fyddai'r ateb terfynol i bob cwestiwn. Ond pam? Onid yw'n briodol gofyn, fel y mae Dawkins yn holi mewn perthynas â Duw, pam y gallwn orffen ein hymchwil gyda'r ddamcaniaeth hon, pam na allwn ddyfalu fod yna esboniad neu esboniadau gwyddonol pellach y tu cefn i'r esboniad 'terfynol' hwn? Sut y daeth y ddamcaniaeth derfynol i fod yn derfynol? Y mae'n rhaid bod esboniad mwy. Onid yw darganfod mwy am y bydysawd yn ein gorfodi i ddod o hyd i esboniadau nad yw'r Ddamcaniaeth Popeth sydd gennym ar hyn o bryd yn ddigonol i'w hesbonio. Y mae'r ddadl hon mor ddisynnwyr ac afresymol â dadleuon Dawkins am fodolaeth Duw. Ymhellach, hyd yn hyn ni wireddwyd y freuddwyd ac ni fathwyd Damcaniaeth Popeth sy'n hollol gyson â'r dystiolaeth wyddonol sydd ar gael i ni hyd yma. Gan nad oes *hyd yn hyn* ateb i'r cwestiwn 'beth sy'n esbonio popeth sydd?', a ydyw hynny'n golygu ein bod yn fodlon derbyn y ffaith nad yw'r fath ddamcaniaeth yn bosibl ac y dylem, felly, beidio â chwilio? Fedrwn ni ddweud, 'felly, y mae bron yn sicr nad yw'r ddamcaniaeth hon yn bod'?

Y mae McGrath yn cyhuddo Dawkins o wneud naid wyllt o gymhlethdod i annhebygrwydd.[10] Dyma sut mae dadl Dawkins yn datblygu: y mae meddwl am Dduw sydd yn achos a chynllunydd, ac yn ddaioni terfynol, yn rhyfeddol o gymhleth, os nad yn amhosibl. Felly nid oes dim amdani ond cydnabod fod bodolaeth Duw yn annhebygol. Ond, meddai McGrath, nid yw Dawkins yn dewis cydnabod (ac ni fyddai McGrath am iddo gydnabod) fod yr un peth yn wir am Ddamcaniaeth Popeth, a dadlau, fel y mae am i bobl sy'n credu yn Nuw wneud: y mae'n amhosibl dirnad cymhlethdod anhygoel Damcaniaeth Popeth felly y mae'n annhebygol fod y fath ddamcaniaeth yn bosibl. Pam y mae cymhlethdod y syniad o Dduw yn gwneud bodolaeth Duw yn fwy annhebygol tra nad yw cymhlethdod Ddamcaniaeth Popeth yn gwneud y ddamcaniaeth honno yn fwy annhebygol na'r ymchwil amdani yn ddi-fudd a diamcan? Sut y gellir cyfiawnhau'r naid o gymhlethdod i annhebygrwydd yn y naill achos tra'n gwrthod gwneud y naid honno yn yr achos arall?

Felly, gallwn ddal i weld yn y Pum Ffordd arwyddbyst tuag at Dduw ar siwrnai ffydd, ar waethaf gwrthwynebiadau ffyrnig Dawkins ac eraill. Ond ysywaeth bod rhesymau eraill hefyd dros ddal i gredu yn Nuw ar waethaf (neu efallai, oherwydd) datblygiadau gwyddonol y ganrif a hanner ddiwethaf. At rai o'r rhesymau hyn, sy'n cael eu hawgrymu gan y penodau blaenorol, y mae'n rhaid i ni droi yn awr.

Duw a'r dechreuadau

Byddai llawer yn gweld damcaniaeth y Glec Fawr, sy'n ceisio cynnig esboniad empeiraidd o ddechreuadau'r bydysawd mewn ffrwydrad anferth tua 13.8 biliwn mlynedd yn ôl, fel dadl derfynol yn erbyn unrhyw bosibilrwydd o gredu mai Duw oedd awdur y dechreuadau. Fodd bynnag, fel y gwelsom, y mae eraill, sy'n derbyn y ddamcaniaeth hon fel esboniad credadwy o'r dystiolaeth wyddonol, yn gweld pethau'n wahanol. Os derbyniwn, fel y gwna'r gyfrol hon, mai tasg gwyddoniaeth yw cynnig atebion i sut y daeth pethau i fod ac mai tasg diwinyddiaeth yw esbonio paham y daeth pethau i fod, yna gall y ddwy ddisgyblaeth hyn fwydo deall, dirnadaeth a dychymyg ei gilydd parthed dechreuadau'r bydysawd. Os mai'r Glec Fawr roddodd gychwyn i'r broses gymhleth a rhyfeddol a ddaeth â'r bydysawd a'r bywyd sydd ar y ddaearen hon (ac unrhyw blaned neu blanedau eraill na wyddom ddigon amdanynt ar hyn o bryd) i fod, yna fe fyddem am ddweud am y dechreuadau hynny, 'Yn y dechreuad . . . Duw', yng ngeiriau agoriadol y Beibl. Duw yw'r egni, y grym, y dychymyg, y bwriad, y rhyfeddod a'r cariad diderfynau a diamod oedd ar waith yn nechreuadau'r Glec Fawr ac yn y prosesau cywrain a ddaeth â'r cyfan i fod. Duw'r grym creadigol yw Duw'r cariad personol hefyd.

Felly, nid yw damcaniaeth y Glec Fawr yn ein hatal rhag credu mewn Duw sy'n creu a chynnal ond, yn hytrach, yn ein cynorthwyo i ddeall yn llawnach a dyfnach beth yn union yr ydym yn ei gyffesu pan ddwedwn, 'Credaf yn Nuw'. Os gallwn ddweud hefyd fod dwy bennod agoriadol llyfr Genesis yn dal i gynnig i ni weledigaeth o berthynas Duw â'r bydysawd, gwnânt hynny nid am eu bod yn cynnig disgrifiadau gwyddonol o'r dechreuadau ond am eu bod yn cyflwyno inni weledigaeth y bardd-ddiwinydd Hebreig o berthynas Duw'r dechreuadau â'r bydysawd, a'r modd y mae canfod Duw yng ngwead cyfoethog y bydysawd o'n hamgylch yn ogystal ag yn Iesu, Mab Duw, yng ngrym yr Ysbryd Glân.

Yn wir, y mae beirdd cyfoes yn dal i ddathlu'r un weledigaeth. Mewn cerdd a ymddangosodd yn gyntaf yn 1998 y mae R. S. Thomas yn edrych ar y creigiau, y môr a'r ffurfafen o'i gwmpas (yn Llŷn, mae'n debyg) ac yn medru dathlu Duw yn a thrwy'r cyfan: '*Suddenly I understood: the heaving / of the water was himself breathing . . .*'[11] Y mae'n medru dirnad presenoldeb Duw y Crëwr drwy'r cyfanfyd: '*I realised the wideness / of the sky was his face gazing; / that the curvature of the ocean / was the emblem of a mind / rounded like space yet always expanding.*'

Nid yw'r ffaith nad yw'r weledigaeth farddol-ddiwinyddol hon yn gyson â chosmoleg gyfoes yn tynnu oddi wrth y gred fod y creigiau a'r môr a'r ffurfafen 'yn datgan gogoniant Duw', fel y dywedodd y Salmydd ganrifoedd lawer yn ôl. Y mae'r bardd yn medru'n cynorthwyo o hyd i sôn yn ystyrlon am Dduw ac i ddirnad rhywbeth o anadl, treiddgarwch a meddwl Duw'r dechreuadau.

Y cynllunydd trosgynnol neu ddamwain a siawns?

Sail un o ddamcaniaethau ffisegol creiddiol yr ugeinfed ganrif oedd yr honiad fod natur a gwead y byd materol o'n cwmpas (ac felly'n natur a'n gwead ninnau fel bodau dynol hefyd) yn tarddu mewn damwain a siawns yn hytrach na phatrwm a chynllun rhagosodedig. Fel y gwelsom, dyma yw calon ffiseg cwantwm, ffiseg sydd, i raddau, mewn gwrthgyferbyniad i ffiseg Newtonaidd a dueddai i weld y byd a'r bydysawd yn nhermau ufudd-dod i gyfres o ddeddfau gosodedig a oedd yn rheoli natur popeth a chydberthynas popeth â'i gilydd. Os mai damwain a siawns sydd y tu cefn i bob peth onid yw hyn yn disodli'r Duw a gyffeswyd gan Gristnogion (ac eraill oddi mewn i'r traddodiadau Abraham-aidd) dros y canrifoedd fel y Duw a gynlluniodd ac sy'n cynnal popeth sydd?

Y cwestiwn sylfaenol mewn perthynas â hyn oll yw a ydyw popeth wedi ei gynllunio'n fanwl gan Dduw o'r dechrau neu a ydyw newydd-deb chwyldroadol yn bosibl drwy gydol hanes y bydysawd? Ydyw popeth sy'n digwydd i'r bydysawd(au) ac i fywyd (gan gynnwys bywyd dynol) yn y bydysawd wedi ei ragluniaethu o'r cychwyn oll? Os felly nid yw'r digwyddiadau hyn nemor datgelu manylion sgript sydd wedi ei hysgrifennu ers tragwydd-oldeb. Os mai dyma yw'r gwirionedd, yna nid oes lle i siawns a damwain. Rhaid bod popeth sy'n digwydd fod wedi ei ysgrifennu yn y sgript. Ond gan fod yna elfen gref o siawns a damwain rhaid i ni naill ai wrthod damcaniaethau gwyddoniaeth gyfoes er mwyn glynu at ein cred yn Nuw neu, os ydym am dderbyn damcaniaethau gwyddoniaeth fel esboniad derbyniol o'r dystiolaeth sydd gennym ar hyn o bryd, rhaid gwrthod y gred draddodiadol yn Nuw, ac efallai unrhyw fath ar gred yn Nuw.

Safbwynt y gyfrol hon yw bod gennym ddewis arall. Dau sylw a soniwyd amdanynt eisoes sy'n agor y ffordd at y dewis arall hwn. Barbour sy'n awgrymu nad 'yn anhysbys y mae'r dyfodol. Nid yw eto "wedi ei benderfynu". Y mae mwy nag un posibilrwydd yn agored ac y mae ychydig gyfle am newydd-deb na ellir ei ragfynegi (*unpredictable novelty*).'[12] Y sylw arall yw eiddo Polkinghorne, sef, mai byd o ddyfod-i-fod gwirioneddol yw hwn ('*A world of true becoming*').[13] Gallwn hefyd ddefnyddio cymhariaeth a ddefnyddir yn aml yn y maes hwn, sef, y gymhariaeth am Dduw fel Prif Feistr mewn gwyddbwyll. Geach awgrymodd y gymhariaeth hon gyntaf (ac fe'i defnyddiwyd wedyn gan Polkinghorne):

Duw yw'r Prif Feistr pennaf sydd â phob peth dan ei lywodraeth. Beth bynnag a wna'r chwaraewyr meidrol, bydd cynllun Duw yn cael ei weithredu, er y bydd rhai agweddau ar chwarae Duw yn ymateb i symudiadau ei chwaraewyr meidrol . . . Ni fydd unrhyw symudiad yn y gêm y bydd y chwaraewyr meidrol yn meddwl amdano yn gorfodi Duw i ddyfeisio symudiadau'n fyrfyfyr: y mae gwybodaeth Duw o'r gêm eisoes yn cofleidio'r holl bosibiliadau gwahanol, ond gwybodaeth rannol yw'r eiddo hwy.[14]

O osod y syniadau hyn gyda'i gilydd gallwn awgrymu posibiliadau o ddeall Duw heb wadu'r egwyddor siawns ac ansicrwydd sy'n sylfaenol mewn ffiseg gyfoes. Tra bod meddwl a phwrpas Duw, Crëwr popeth, yn cwmpasu holl brosesau'r bydysawdau a greodd, ac yn medru dirnad yr holl symudiadau sydd ac a fydd yn bosibl wrth i egnïon deunydd crai'r bydysawdau hyn ddod i wrthdrawiad â'i gilydd, nid yw Duw, o angenrheidrwydd, yn defnyddio'r wybodaeth gyflawn hon i'w ddibenion tragwyddol ei hunan ond yn hytrach yn rhoi rhyddid i siawns ac ansicrwydd. Tra bod Duw yn rhagwybod yr holl bosibiliadau, y mae wedi gwau rhyddid i hanfodion prosesau'r greadigaeth ac y mae'n ymateb i ganlyniadau siawns yn y prosesau hyn gan addasu'r gweithredu dwyfol er mwyn dod â'i amcanion tragwyddol i ben. Os derbyniwn y modd hwn o ddeall Duw, mae siawns cynhenid y bydysawd yn hollol gydnaws â dirnadaeth o Dduw sy'n holl wybodus.

O ddeall Duw fel hyn, nid oes unrhyw wrthdaro rhwng credu mewn Duw a greodd bopeth, a derbyn egwyddorion esblygiad Wallace a Darwin a'r ddealltwriaeth gyfoes o'r modd y mae esblygiad yn digwydd drwy'r prosesau biocemegol lle mae DNA yn tynghedu'r canlyniadau genetig drwy siawns ac nid drwy fwriad. Y mae'r bwriad dwyfol yn medru cwmpasu canlyniadau siawns yn y prosesau biolegol hyn er mwyn i'r cyfan, yn y diwedd, gyflawni amcanion cariadus Duw.

Y Duw sydd yng nghanol proses y bydysawd

Os derbyniwn y gellir dirnad Duw mewn modd sy'n cwmpasu'r bwriad dwyfol a chanlyniadau siawns, byddwn yn credu mewn Duw sy'n cyfranogi yn y prosesau hyn a thrwyddynt 'yn dwyn ei waith i ben'. Dyma paham mae dirnadaeth Diwinyddiaeth Proses yn medru cyfoethogi ffydd yn Nuw heb wadu hanfod y ddirnadaeth wyddonol gyfoes o wead a phroses y bydysawd. Mae Barbour yn crynhoi'r ddiwinyddiaeth hon fel hyn:

> Cyfranogydd creadigol yn y gymuned gosmig yw Duw. Y mae'n darparu strwythurau sylfaenol a phosibiliadau creadigol a newydd y gymuned gosmig. Felly, gall Duw fod yn asiant yn y broses esblyg- iadol naturiol a gall gynnig cyfreithlonedd i foeseg amgylcheddol a wreiddiwyd mewn rhyngddibyniaeth. Sail hyn oll yw mai'r un yw gweithgarwch Duw'r Crëwr a gweithgarwch Duw'r Achubydd: 'Gallwn, felly, adrodd stori gyflawn sy'n cynnwys o'i mewn y stori am greu'r cosmos. . . (stori sy'n parhau) yn storïau'r cyfamod a'r storïau am Grist.'[15]

Fodd bynnag, y mae rhai – megis Polkinghorne a McGrath – yn amau a ydyw'r ddiwinyddiaeth hon yn gwadu trosgynoldeb a pherffeithrwydd Duw. Y mae'r rhain yn hen ddadleuon, wrth gwrs. Os yw Duw ar waith yng nghanol prosesau'r bydysawdau, sut y gall fod yn drosgynnol? Os yw Duw yn cyd-ddioddef â phoen y byd ac yn agored i'w siawns a'i ansicrwydd, sut y gall hefyd fod yn berffaith? Tybed ydym yn gofyn y cwestiynau anghywir? Efallai mai dyma'r her gyfoes: sut mae deall natur y Duw trosgynnol os ydyw ar waith yn holl brosesau'r cosmos? Sut mae deall perffeith- rwydd Duw os yw'n agored i'w siawns a'i ansicrwydd a thrwy hynny yn cyd-ddioddef â phoen y bydysawd? Onid dyma a olygir wrth sôn am yr Ymgnawdoliad, am Dduw yn dod yn gnawd yn Iesu? Calon yr athrawiaeth gwbl greiddiol a beiblaidd hon yw bod Duw wedi dod yn ddyn yn Iesu ac felly wedi derbyn holl gyfyngiadau, holl boen a holl ansicrwydd bodolaeth ddynol.

Yn eu crynodeb hwy o Ddiwinyddiaeth Proses y mae Miller a Granz yn dirnad Duw fel:

> yr un y mae pob endid, digwyddiad ac achlysur yn dod ynghyd ynddo neu ynddi, sy'n glynu at bob newydd-deb a gyflawnwyd wrth i'r dyfodol ddod yn bresennol a diflannu i fod yn orffennol . . . Fel hyn y mae Duw yn ffurfio'r byd mewn undod. Felly, mewn gwrthgyferbyniad i fodau dynol, sy'n gymunedau o ddigwyddiadau oddi mewn i gyfyngiadau a ffiniau amser, Duw yw'r gymuned ddi-ffin (*unbounded*). Y mae Duw'n cofio pob profiad ac yn rhagweld pob posibilrwydd; y mae'r Duw hwn yn plethu gorffennol a dyfodol ynghyd mewn un proses ddi-ddiwedd . . . Nid yw Duw'n hollalluog nac yn holl-wybodus (yn yr ystyr draddodiadol) gan mai gwybod y dyfodol fel posibilrwydd yn unig y mae, ac nid fel realaeth presennol. Ac fel yr un sy'n teimlo pob profiad, fe ddaw Duw, yng ngeiriau diffiniad enwog Whitehead, 'yn gydymaith mawr, yn gydddioddefwr sy'n deall'.[16]

Cawn yma, felly, arwyddbyst fedrant ein cynorthwyo i ddirnad a deall Duw yn ein cyfnod gwyddonol ac ôl-wyddonol ni, ffordd i gredu yn Nuw mewn modd sy'n gyson â'r datguddiad Cristnogol ac yn parchu'r ddirnadaeth wyddonol. Os gwnawn hepgor y syniad o Dduw fel Bod delfrydol neu Hanfod perffaith a chanolbwyntio ar y syniad o 'ddyfod i fod' (*becoming*) bydd gennym ensyniad o Dduw fel Un deinamig ac organig yn hytrach nag Un disymud a mecanyddol. Yn y cyd-destun hwn, gellir deall trosgynoldeb nid yn nhermau Bod sydd uwchlaw a thu hwnt i bob categori dynol o fodolaeth, ond yn nhermau Un sydd drwy dragwyddoldeb yn barhaol 'ddyfod i fod'. Tardda'r trosgynoldeb hwn yn y gallu i ragweld a chofleidio holl bosibilrwydd a photensial y cosmos creedig (o'r raddfa is atomig i eangderau enfawr y bydysawd), ddoe, heddiw ac yfory. Y mae'n rhagwybod y dyfodol fel posibilrwydd yn unig ac yn cynnwys yn yr hunaniaeth ddwyfol y profiad o'r digwyddiadau cosmig hynny – o blith yr holl bosibiliadau agored – sydd ar y ffordd o ddod yn realiti. Trosgynoldeb ydyw, felly, sydd yn y broses o gyrraedd ei gyflawnder, sy'n 'dyfod i fod'. Ond trosgynoldeb ydyw, er hynny; trosgynoldeb nad yw'n gyfyngedig i'r ffiniau amser, gofod a dychymyg y mae meddyliau bodau dynol yn ddarostyngedig iddynt.

O'r persbectif hwn, gellir deall perffeithrwydd dwyfol nid yn nhermau bodolaeth tragwyddol perffaith ond yn nhermau profiad perffaith o orffennol, presennol a dyfodol y cosmos, ymateb mewnol dwyfol perffaith i ddigwyddiadau'r cosmos ac ymateb allanol perffaith oddi mewn i gymuned rhyngberthynol y cosmos cyfan. Duw yw'r Un sydd yn dragwyddol ac yn berffaith 'ddyfod i fod'.

Y Duw Cristnogol

O safbwynt Cristnogol, caiff y ddirnadaeth hon ei chadarnhau gan yr hyn y mae Cristnogion yn credu am yr Ymgnawdoliad. Yng ngeiriau David Jenkins, 'Y mae Duw; y mae Duw fel y mae yn Iesu'.[207] Os felly, y mae'r categorïau 'dynol' o brofiad, dychymyg, ymateb a 'dyfod i fod' yng nghalon yr hyn y mae'n ei olygu i fod yn Dduw hefyd. Y mae bod yn agored i'r dyfodol yn greiddiol i Dduw, fel y mae ufudd-dod Iesu, ei fenter a'i freuder (sy'n cyrraedd eu huchafbwynt ar y groes) yn dangos. Yn yr un modd, y mae hyder a gobaith yn y dyfodol, fel y mae profiad a ffydd Cristnogion yn atgyfodiad Iesu yn eu datguddio, yn greiddiol i natur Duw. Yn yr ystyr hon, cawn adnabod yn Iesu y Duw trosgynnol sy'n gariad, drosom ni a thros y cosmos cyfan ac sydd, felly, yn y geiriau a ddyfynnwyd uchod, 'yn gydymaith mawr, yn gyd-ddioddefwr sy'n deall'.

Duw ydyw sy'n hollol gydnaws â'n dealltwriaeth wyddonol gyfoes. Duw ydyw sy'n cyfoethogi'n dirnadaeth wyddonol am ryfeddod y cosmos a Duw sy'n rhoi ystyr a diben i fodolaeth y cosmos, y bywyd sydd arno ac ynddo ac i ninnau, yr hil ddynol sy'n ddibynnol ar y cosmos hwn am ein bodolaeth. Felly, gallwn ni – yn ein hoes ddryslyd a chyffrous ni – ddal i gyffesu a charu

Duw, yr un a ddatguddiwyd yn a thrwy Iesu, yn yr hwn y mae popeth yn cyd-sefyll.

Felly, gellir dweud gyda Christnogion ar hyd y canrifoedd, 'Credwn yn Nuw'. Gellir gwneud hynny yn y gred bod cyffesu Duw fel hyn, yn cydnabod bod holl ryfeddod a chymhlethdod, holl ddirgelwch ac ehangder y cosmos a ddatgelwyd gan wyddoniaeth y ddwy ganrif ddiwethaf, yn tarddu yn Nuw ac, yn y diwedd, yn cael eu cyflawni yn Nuw. Nid rhith na thwyll (chwedl Dawkins) yw Duw ond ffynhonnell a chyflawniad popeth sydd. Felly, nid gelynion yw Duw a gwyddoniaeth ond cymdeithion sy'n datgelu i'r ddynolryw, ar ei thaith ddynol, holl gyfoeth a diben y byd y mae'n trigo arno ac ynddo.

Llyfryddiaeth Ddethol

Barbour, I. G., *Religion and Science: Historical and Contemporary Issues* (Llundain: SCM Press, 1998).

Barrow, J. D. a Tipler, F. J., *The Anthropic Cosmological Principle* (Rhydychen: Oxford University Press, 1988).

Becker, K., Becker, M. a Schwarz, J. H., *String Theory and M-Theory: A Modern Introduction* (Caergrawnt: Cambridge University Press, 2007).

Birkhead, T., *The Red Canary: the story of the first genetically engineered animal* (Burlington, Vermont: Phoenix Books, 2004).

Bockmul, K., *Conservation and Lifestyle*, cyf. B. N. Kaye (Nottingham: Grove Books, 1977).

Bonhoeffer, D., *Creation and Fall: A Theological Interpretation of Genesis 1–3* (Llundain: SCM Press, 1959).

Brueggemann, W., *The Land: Place as Gift, Promise, and Challenge in Biblical Faith* (Llundain: SPCK, 1977).

Capps, A., *Quantum Faith* (Dallas: Capps Publications, 2006).

Daniel, J. a Gealy, W. L. (goln), *Hanes Athroniaeth y Gorllewin* (Caerdydd: Gwasg Prifysgol Cymru, 2009).

Darwin, C., *The Descent of Man, and Selection in Relation to Sex* (Llundain: John Murray, 1871).

Davies, N. A., *Moeseg Gristnogol Gyfoes: Rhai Dylanwadau Ecwmenaidd* (Talybont: Y Lolfa, 2013).

Dawkins, R., *The Blind Watchmaker* (1986; Efrog Newydd: W. W. Norton & Company, Ltd, 1996).

Dawkins, R., *The Extended Phenotype* (Rhydychen: Oxford University Press, 1989).

Dawkins, R., *The Selfish Gene* (2il arg.) (Rhydychen: Oxford University Press, 1989).

Dawkins, R., *Unweaving the Rainbow* (Boston: Houghton Mifflin, 1998).

Dawkins, R., *The God Delusion (A Black Swan Book)* (Llundain: Transworld Publishers, 2006).

de Santillana, G., *The Crime of Galileo* (Chicago: Chicago University Press, 1955).

Durant, J., *Darwinism and Divinity: Essays on Evolution and Religious Belief* (Rhydychen: Blackwell, 1985)

Edwards, R., 'Ethics and Embryology: the case for experimentation', yn A. Dyson a J. Harris (goln), *Experiments on Embryos (Social Ethics and Policy)* (Llundain: Routledge, 1990), tt. 42–54.

Einstein A., *Relativity: The Special and General Theory* (Efrog Newydd: H. Holt and Company, 1920).

Ellis, G. F., George, R., Maartens, R. a MacCallum, M. A. H., *Relativistic Cosmology* (Caergrawnt: Cambridge University Press, 2012).

Geach, P., *Providence and Evil* (Caergrawnt: Cambridge University Press, 1977).

Gustafson, J. M., *A Sense of the Divine: The Natural Environment from a Theocentric Perspective* (Cleveland, Ohio: Pilgrim Press, 1994).

Hawking, S. W., *A Brief History of Time* (Llundain: Bantam Press, 1988).

Hawking, S. W. (gol.), *On the Shoulders of Giants: The Great Works of Physics and Astronomy (works by Copernicus, Kepler, Galileo, Newton and Einstein)* (Philadelphia: Running Press, 2002).

Hawking, S. W. a Mlodinow, L., *The Grand Design* (Efrog Newydd: Bantam Books, 2011).

Heisenberg, W., *Physikalische Prinzipien der Quantentheorie* (1930). Y fersiwn Saesneg, *The Physical Principles of the Quantum Theory*, cyf. Carl Eckart a Frank C. Hoyt (Efrog Newydd: Cyhoeddiadau Courier – Dover, 1949).

Hick, J., *The Rainbow of Faiths: A Christian Theology of Religions* (Louisville, Kentucky: Westminster Knox Press, 1995).

Holton, G. J. a Brush, S. G., *Physics, the Human Adventure: From Copernicus to Einstein and Beyond* (3ydd arg.) (New Brunswick, New Jersey: Rutgers University Press, 2001).

Jenkins, D. (gyda R. Jenkins), *Free to Believe* (Llundain: BBC Books, 1991).

Jones, S., Martin, R. a Pilbeam, P., *The Cambridge Encyclopedia of Human Evolution* (Caergrawnt: Cambridge University Press, 1992).

Kantonen, T. A., *A Theology of Christian Stewardship* (Oregon: Wipf & Stock Publications, 2001).

Kitcher, P., *Living with Darwin: Evolution, Design, and the Future of Faith* (Rhydychen: Oxford University Press, 2007).

Kragh, H., *Quantum Generations: A History of Physics in the Twentieth Century* (Princeton: Princeton University Press, 2002).

Lewis, C. S., *The Abolition of Man* (Llundain: Collins Fount Paperback Books, 1978).

Lindbeck, G. A., *The Nature of Doctrine* (Llundain: SPCK, 1984).

McGee, G., *The Perfect Baby: Parenthood in the New World of Cloning and Genetics* (Lanham, Maryland: Rowman & Littlefield, 2000).

McGrath, A. E., *Science and Religion: An Introduction* (Rhydychen: Blackwell, 1999).

McGrath, A. E., *Dawkins' God: Genes, Memes and the Meaning of Life* (Rhydychen: Blackwell, 2005).

McGrath, A. E., *The Dawkins Delusion* (Llundain: SPCK, 2007).

Mackay, D., *Human Science and Human Dignity* (Llundain: Hodder & Stoughton, 1979).

Miller, L. a Grenz, S. J., *Contemporary Theologies* (Minneapolis: Fortress Press, 1998).

Nicholl, D. S. T., *An Introduction to Genetic Engineering* (3ydd arg.) (Caergrawnt: Cambridge University Press, 2008).

O'Donovan, O., *Begotten or Made* (Rhydychen: Oxford University Press, 1984).

O'Donovan, O., *The Resurrection and the Moral Order* (Llundain: Inter-varsity Press, 1986).

Osborne, L., *Guardians of Creation: Nature in Theology and the Christian Life* (Caerlŷr: Apollos, 1993).

Paley, W., *Natural Theology, or Evidences of the Existence and Attributes of the Deity, Collected from the Appearances of Nature;* Bridgewater Treatises (R. Faulder, Llundain, 1803 ail-gyhoeddwyd gan Caergrawnt: Cambridge University Press, 2009).

Peacock, J., *Cosmological Physics* (Caergrawnt: Cambridge University Press, 1999).

Peacocke, A. R., *Creation and the World of Science* (Rhydychen: Oxford University Press, 1979).

Pence, G. E., *Who's Afraid of Human Cloning?* (Lanham, Maryland: Rowman & Littlefield, 1998).

Polkinghorne, J., *Reason and Reality* (Llundain: SPCK, 1991).

Polkinghorne, J., *Science and Theology* (Llundain/Minneapolis: SPCK/Fortress Press, 1998).

Rollinson, A., *A Christian Perspective on Genetics* (Newcastle upon Tyne: The Christian Institute, 1995).

Ruse, M., *Evolutionary Naturalism* (Llundain: Routledge, 1995).

Schmitz, K., *The Gift: Creation* (Milwaukee: Marquette University Press, 1982).

Sessions, G. (gol.), *Deep Ecology for the Twenty-first Century* (Boston: Shambhala, 1995).

Stevenson, L. a Stevenson, L. F., *The Study of Human Nature: A Reader* (2il arg.) (Rhydychen: Oxford University Press, 2000).

Torrance, T. F., *Theological Science* (Efrog Newydd: Oxford University Press, 1962).

Ward, B. a Dubos, R., *Only One Earth* (Harmondsworth: Penguin, 1972).

Ward, K., *Christianity: A Shorter Introduction* (Rhydychen: One World Books, 2000).

Ward, K., *Pascal's Fire: Scientific Faith and Religious Understanding* (Rhydychen: One World Books, 2006).

Ward, K., *Why There Almost Certainly Is a God: Doubting Dawkins* (Rhydychen: Lion Hudson, 2009).

Watson, J. D. a Crick, F. H. C., 'A structure for deoxyribose nucelic acid', *Nature*, 171 (1953), 737–8.

Watts, F., *Theology and Psychology* (Aldershot: Ashgate, 2002).

Whitehead, A. N., *Science and the Modern World* (Efrog Newydd: The Free Press, 1925).

Whitehead, A. N., *Process and Reality. An Essay in Cosmology. Gifford Lectures Delivered in the University of Edinburgh During the Session 1927–1928* (Efrog Newydd: Macmillan; Caergrawnt: Cambridge University Press, 1929).

Williams, P., *Rethinking Madness: Towards a Paradigm Shift in Our Understanding and Treatment of Psychosis* (San Rafael, California: Skye's Edge Publishing, 2012).

Williams, R. a Davies, N. A. (goln), *Cymru: Cymdeithas Foesol?* (Abertawe: Cytûn, 1996).

Wilson, E. O., *The Creation: An Appeal to Save Life on Earth* (Efrog Newydd: W. W. Norton and Company, 2007).

Wilson, E. O., *On Human Nature* (Cambridge, Massachusetts: Harvard University Press, 1978).

Woolfson, M., *Time, Space, Stars and Man: The Story of Big Bang* (Singapore: Worldwide Scientific Publishing, 2013).

Cyfeiriadaeth

1 Edrych yn Ôl

[1] S. W. Hawking, 'Galileo and the Birth of Modern Science', *American Heritage's Invention & Technology*, 24/1 (2009), 36.

[2] G. de Santillana, *The Crime of Galileo* (Chicago: Chicago University Press, 1955), tt. 306–10. Cyfieithiwyd yr holl ddyfyniadau a gynhwysir yn y gyfrol hon i'r Gymraeg gan yr awduron.

[3] A. E. McGrath, *Science and Religion: An Introduction* (Rhydychen: Blackwell, 1999), t. 7.

[4] McGrath, *Science and Religion*, t. 15.

[5] L'Osservatore Romano N. 44 (1264), 4 Tachwedd 1992 ar *http://www.its.caltech.edu/~nmcenter/sci-cp/sci-9211.html* (cyrchwyd 24 Chwefror 2014).

[6] Gweler adargraffiad o waith Kepler, Harmonice Mundi, yn S. W. Hawking (gol.), *On the Shoulders of Giants: The Great Works of Physics and Astronomy (works by Copernicus, Kepler, Galileo, Newton and Einstein)* (Philadelphia: Running Press, 2002), tt. 635–732.

[7] G. J. Holton a S. G. Brush, *Physics, the Human Adventure: From Copernicus to Einstein and Beyond* (3ydd arg.) (New Brunswick, New Jersey: Rutgers University Press, 2001), tt. 40–1.

[8] W. Paley, *Natural Theology, or Evidences of the Existence and Attributes of the Deity, Collected from the Appearances of Nature; Bridgewater Treatises* (R. Faulder: Llundain, 1803; ail-gyhoeddwyd gan Caergrawnt: Cambridge University Press, 2009).

[9] C. von Linné, *Disquisitio de sexu plantarum* (12fed arg.) (1760).

[10] C. Darwin ac A. Wallace, 'On the tendency of species to form varieties and on the perpetuation of varieties and species by natural means of selection', *Zoological Journal of the Linnean Society*, 3 (1858), 45–62.

[11] Gweler, er enghraifft, J. R. Lucas, 'Wilberforce and Huxley: a legendary encounter', *The Historical Journal*, 22/2 (1959), 313–30.

[12] Gweler, er enghraifft, J. Durant, *Darwinism and Divinity: Essays on Evolution and Religious Belief* (Rhydychen: Blackwell, 1985); a

P. Kitcher, *Living with Darwin: Evolution, Design, and the Future of Faith* (Rhydychen: Oxford University Press, 2007).

[13] G. Chapman, *Catechism of the Catholic Church* (Llundain/Efrog Newydd: Continuum International Publishing Group, 2009), para. 283, t. 66.

[14] B. P. Abbott et al., 'Observation of Gravitational Waves from a Binary Black Hole Merger (LIGO Scientific Collaboration and Virgo Collaboration)', *Physical Review Letters*, 116, 061102, 11 Chwefror 2016 ar *http://journals.aps.org/prl/abstract/10.1103/PhysRevLett.116.061102* (cyrchwyd 27 Chwefror 2016); a gweler *http://www.nature.com/news/gravitational-waves-6-cosmic-questions-they-can-tackle-1.19337* (cyrchwyd 27 Chwefror 2016); J. Sokoi, L. Grossman a J. Aron, 'Surfing Gravity's Waves', *New Scientist*, 229/3061 (2016), 8–9; a Pallab Ghosh, 'Einstein's gravitational waves "seen" from black holes', 11 Chwefror 2016, *http://www.bbc.co.uk/news/science-environment-35524440* (cyrchwyd 27 Chwefror 2016).

[15] Bob McDonald, *Detection of gravitational waves marks new era in astronomy: Discovery could be as important as Galileo's first use of the telescope*, *Newyddion CBC*, 12 Chwefror 2016, *http://www.cbc.ca/news/technology/bob-mcdonald-gravitational-waves-1.3444263* (cyrchwyd 27 Chwefror 2016).

[16] The Plank Collaboration: A. R. Ade et al., 'Planck, 2015 results, XIII, Cosmological parameters', table 4, 31 (e-argraffiad: arXiv:1502.01589), *http://adsabs.harvard.edu/cgi-bin/bib_query?arXiv:1502.01589* (cyrchwyd 27 Chwefror 2016).

[17] J. D. Watson a F. H. C. Crick, 'A structure for deoxyribose nucelic acid', *Nature*, 171 (1953), 737–8.

[18] B. Maddox, *Rosalind Franklin: The Dark Lady of DNA* (Llundain: Harper Perennial, 2003).

2 Gwyddoniaeth a Diwinyddiaeth

[1] *Isaac Newton*, 'Letter from Sir Isaac Newton to Robert Hooke', *yn* Newton to Hooke, 5 February 1676; Corres I, t. 416, *http://www.isaacnewton.org.uk/essays/Giants* (cyrchwyd 16 Rhagfyr 2016).

[2] Am drafodaeth o'r cysyniad hwn gweler Thomas Kuhn, *The Structure of Scientific Revolution*, 50th anniversary edition (1962; Chicago: University of Chicago Press, 2012).

[3] Y mae'r ymdriniaeth ganlynol yn ddyledus i drafodaeth John Polkinghorne ar y materion hyn yn J. Polkinghorne, *Science and Theology* (Llundain/Minneapolis: SPCK/Fortress Press, 1998), t. 18 ymlaen.

[4] G. A. Lindbeck, *The Nature of Doctrine* (Llundain: SPCK, 1984).

[5] Lindbeck, *The Nature of Doctrine*, t. 19.

[6] Lindbeck, *The Nature of Doctrine*, t. 19.

[7] Sylwadau ar J. R. Carnes, *Axiomatics and Dogmatics* (Efrog Newydd: Oxford University Press, 1982) yn John Habgood, *Confessions of a Conservative Liberal* (Llundain: SCM Press, 1987), t. 103 ymlaen.

[8] I. G. Barbour, *Religion and Science: Historical and Contemporary Issues* (Llundain: SCM Press, 1998), t. 77 ymlaen. Daw'r paragraff hwn o N. A. Davies, 'Ymateb Ffydd i Wyddoniaeth Gyfoes', *Gwerddon*, 4 (2009), *http://www.gwerddon.org/cy/rhifynnau/ rhifynnaugwerddon/ teitl-3529-cy.aspx* (cyrchwyd 14 Mai 2013).

[9] Polkinghorne, *Science and Theology*, t. 20.

[10] Polkinghorne, *Science and Theology*, t. 22.

[11] Barbour, *Religion and Science*, t. 116 ymlaen.

[12] Polkinghorne, *Science and Theology*, t. 22.

[13] A. E. McGrath, *Science and Religion: An Introduction* (Rhydychen: Blackwell, 1999), t. 149.

[14] Barbour, *Religion and Science*, t. 117.

[15] Barbour, *Religion and Science*, t. 119 ymlaen.

[16] McGrath, *Science and Religion*, t. 150.

[17] Dyfynnir heb gyfeiriad yn McGrath, *Science and Religion*, t. 154.

[18] Dyfynnir heb gyfeiriad yn McGrath, *Science and Religion*, t. 155.

[19] Barbour, *Religion and Science*, t. 119.

[20] A. N. Whitehead, *Process and Reality. An Essay in Cosmology. Gifford Lectures Delivered in the University of Edinburgh During the Session 1927–1928* (Efrog Newydd: Macmillan; Caergrawnt: Cambridge University Press, 1929), t. vi.

[21] Barbour, *Religion and Science*, t. 285, yn dyfynnu o Whitehead ond heb gynnwys cyfeiriad penodol. Y ddwy brif ffynhonnell i feddwl Whitehead yw Whitehead, *Process and Reality* ac A. N. Whitehead, *Science and the Modern World* (Efrog Newydd: The Free Press, 1925).

[22] Barbour, *Religion and Science*, t. 291.

[23] Barbour, *Religion and Science*, t. 284 ymlaen.

[24] J. Polkinghorne, *Reason and Reality* (Llundain: SPCK, 1991), t. 46 ymlaen.

[25] McGrath, *Science and Religion*, t. 107.

[26] L. Miller a S. J. Grenz, *Fortress Introduction to Contemporary Theologies* (Minneapolis: Fortress Press, 1998), t. 94.

[27] David Jenkins (gyda R. Jenkins), *Free to Believe* (Llundain: BBC Books, 1991), t. 61 ymlaen.

3 Y Glec Fawr, y Cread a Duw

1   Er enghraifft: S. D. Foutz, 'An Examination of Thomas Aquinas's Cosmological Arguments as found in the Five Ways', *Quodlibet Online Journal of Christian Theology and Philosophy, http://www. quodlibet.net/aqu5ways.shtml* (cyrchwyd 3 Mawrth 2014); R. A. Alpher a R. Herman, 'Reflections on early work on "big bang" cosmology', *Physics Today*, 8 (1988), 24–34.

2   J. D. Barrow, *The Origin of the Universe: To the Edge of Space and Time* (Burlington, Vermont: Llyfrau Phoenix, 1944); S. Singh, *Big Bang: The Origins of the Universe* (Llundain: Fourth Estate, 2004); W. J. Edward, *The Early History of Heaven* (Rhydychen: Oxford University Press, 2002).

3   I. G. Barbour, *Religion and Science* (Llundain: SCM Press, 1998), t. 197.

4   S. W. Hawking, *A Brief History of Time* (Llundain: Bantam Press, 1988), t. 133.

5   Gweler trafodaethau yn: E. Kolb ac E. M. Turner, *The Early Universe* (Boston: Addison-Wesley, 1988); J. Peacock, *Cosmological Physics* (Caergrawnt: Cambridge University Press, 1999); M. Woolfson, *Time, Space, Stars and Man: The Story of Big Bang* (Singapore: World-wide Scientific Publishing, 2013).

6   Am yr erthygl wreiddiol gweler C. Wetterich, 'Universe without expansion', *Physics of the Dark Universe*, 2/4 (2013), 184–7; am grynodeb mwy poblogaidd o'r casgliadau hyn gweler 'How did the universe begin? Hot Big Bang or slow thaw?', *Science Daily*, 25 Chwefror 2014, *http://www.sciencedaily.com/releases/2014/02/ 140225111921.htm* (cyrchwyd 5 Mawrth 2014).

7   Gweler John G. Hartnett, sy'n rhan o *Creation Ministries International*, a'r ymatebion niferus i'r cyhoeddiad am donnau disgyrchol a goblygiadau hyn i'r gred mewn creadaeth, ar *http://creation.com/ detection-of-gravitational-waves-and-biblical-creation* (cyrchwyd 28 Chwefror 2016).

8   J. D. Barrow a F. J.Tipler, *The Anthropic Cosmological Principle* (Rhydychen: Oxford University Press, 1988).

9   Gweler, er enghraifft: G. D. Starkman a R. Trotta, 'Why anthropic reasoning cannot be predicted', *Physical Review Letters*, 97/20 (2006), 201–301.

10 A. E. McGrath, *Science and Religion: An Introduction* (Rhydychen: Blackwell, 1999), tt. 183–4.

11 Dyfynnir gan Barbour, *Religion and Science*, t. 205 o J. Boslough, *Stephen Hawking's Universe* (Glasgow: Avon HarperCollins, 1985),

t. 121; S. Hawking a L. Mlodinow, *The Grand Design* (Efrog Newydd: Bantam Books, 2011), t. 155 ymlaen. Yn yr un gyfrol daw Hawking i'r casgliad nad oes angen yr ensyniad o Dduw er mwyn esbonio cychwyn y bydysawd.

[12] Am ymdriniaeth fanwl o agwedd Hawking at yr ensyniad o gynllun a chynllunydd yn y bydysawd gweler Hawking a Mlodinow, *The Grand Design*.

[13] *El Pais*, 25 Medi 2015.

[14] Barbour, *Religion and Science*, t. 205.

[15] L. Susskind, 'String theory and the principle of black hole complementarity', *Physical Review Letters*, 71 (1993), 2367–8; M. Mukerjee, 'Profile: Yoichiro Nambu – Strings and Gluons, The Seer Saw Them All', *Scientific American*, 272 (1995), 37–9. Gweler hefyd K. Becker, M. Becker a J. H. Schwarz, *String Theory and M-Theory: A Modern Introduction* (Caergrawnt: Cambridge University Press, 2007).

[16] K. Ward, *Pascal's Fire* (Rhydychen: One World Books, 2006), t. 144.

[17] Y gwreiddiol yn: J. H. Poincaré, 'Sur le problème des trois corps et les équations de la dynamique. Divergence des séries de M. Lindstedt', *Acta Mathematica*, 13 (1890), 1–270; gweler hefyd, F. Diacu a P. Holmes, *Celestial Encounters: The Origins of Chaos and Stability* (Princeton: Princeton University Press, 1996); E. N. Lorenz, 'Deterministic non-periodic flow', *Journal of the Atmospheric Sciences*, 20/2 (1963), 130–41; B. Mandelbrot, *The Fractal Geometry of Nature* (Efrog Newydd: Freeman, 1977).

[18] Lorenz, 'Deterministic non-periodic flow'.

[19] J. Polkinghorne, *Science and Theology* (Llundain/Minneapolis: SPCK/Fortress Press, 1998), t. 48.

[20] Polkinghorne, *Science and Theology*, tt. 41–2.

[21] Y gwreiddiol yn: W. Heisenberg, 'Über den anschaulichen Inhalt der quantentheoretischen Kinematik und Mechanik', *Zeitschrift für Physik*, 43/3–4 (1927), 172–98, eglurwyd yn Saesneg yn: W. Heisenberg, *Physikalische Prinzipien der Quantentheorie* (1930). Y fersiwn Saesneg, *The Physical Principles of the Quantum Theory*, cyf. Carl Eckart a Frank C. Hoyt (Efrog Newydd: Cyhoeddiadau Courier – Dover, 1949).

[22] G. F. Ellis, F. R. George, R. Maartens a M. A. H. MacCallum, *Relativistic Cosmology* (Caergrawnt: Cambridge University Press, 2012), tt. 146–7.

[23] Ar 11 Awst 2010 gweler fideo: *http://www.bbc.co.uk/programmes/p009fnrb* (cyrchwyd 3 Mawrth 2014).

[24] Barbour, *Religion and Science*, t. 219 ymlaen.

[25] Barbour, *Religion and Science*, t. 220.

26 J. Polkinghorne, *Science and Christian Belief* (Llundain: SPCK, 1994), t. 163.

27 J. Macquarrie, *Principles of Christian Theology* (Llundain: SCM Press, 1977), t. 256.

28 Polkinghorne, *Science and Christian Belief*, tt. 162–4.

29 Ward, *Pascal's Fire*, t. 258.

4 Siawns, Cynllun ac Anghenraid

1 Am astudiaeth gymharol ddiweddar o arwyddocâd gwaith Planck mewn perthynas â damcaniaeth cwantwm, gweler H. Kragh, 'Max Planck: the reluctant revolutionary', yn *Physics World*, Bryste: Cyhoeddiadau IOP, *http://physicsworld.com/cws/article/print/2000/ dec/01/max-planck-the-reluctant-revolutionary* (cyrchwyd 4 Mawrth 2014).

2 H. Kragh, *Quantum Generations: A History of Physics in the Twentieth Century* (Princeton: Princeton University Press, 2002).

3 N. Bohr 'Discussions with Einstein on Epistemological Problems in Atomic Physics', yn P. A. Schilpp (gol.), *Albert Einstein: Philosopher-Scientist* (Caergrawnt: Cambridge University Press, 1949), *https:// www.marxists.org/reference/subject/philosophy/works/dk/bohr.htm* (cyrchwyd 14 Chwefror 2016).

4 I. G. Barbour, *Religion and Science: Historical and Contemporary Issues* (Llundain: SCM Press, 1998), t. 168.

5 J. Hick, *The Rainbow of Faiths: A Christian Theology of Religions* (Louisville, Kentucky: Westminster Knox Press, 1995), t. 25. Am drafodaeth ddiweddar o'r syniad o gyfatebolrwydd yng ngwaith Hick gweler, er enghraifft, *http://thephilogue.files.wordpress.com/ 2012/07/hicks-philosophical-advocacy-for-pluralism_last-edit_052312. pdf* (cyrchwyd 4 Mawrth 2014). Ni enwir yr awdur.

6 W. Heisenberg, *Physikalische Prinzipien der Quantentheorie* (1930). Y fersiwn Saesneg, *The Physical Principles of the Quantum Theory*, cyf. Carl Eckart a Frank C. Hoyt (Efrog Newydd: Cyhoeddiadau Courier – Dover, 1949).

7 A. Capps, *Quantum Faith* (Dallas: Capps Publications, 2006).

8 Barbour, *Religion and Science*, t. 173.

9 A. Einstein, *Relativity: The Special and General Theory* (Efrog Newydd: H. Holt and Company, 1920).

10 Barbour, *Religion and Science*, t. 178.

11 S. W. Hawking, *A Brief History of Time* (Llundain: Bantam Press, 1988), t. 33 ymlaen. Mae Hawking yn cynnig trafodaeth wyddonol

a bywiog o'r materion hyn tra yn ymwybodol o gwestiwn Duw
mewn perthynas â hyn oll.

[12] Barbour, *Religion and Science*, t. 177 ymlaen.

[13] Barbour, *Religion and Science*, t. 173.

5 Darwin, DNA a Duw

[1] Sail rhannau helaeth o'r bennod hon yw erthygl gan Noel Davies,
'Ymateb Ffydd i Wyddoniaeth Gyfoes', *Gwerddon*, 4 (2009), *http://
www.gwerddon.org/cy/rhifynnau/ rhifynnaugwerddon/teitl-3529-cy.aspx*
(cyrchwyd 14 Mai 2013).

[2] R. Dawkins, *The Selfish Gene* (2il arg.) (Rhydychen: Oxford University
Press, 1989), t. 192.

[3] R. Dawkins, *The Extended Phenotype* (Rhydychen: Oxford University
Press, 1989).

[4] R. Dawkins, *The Blind Watchmaker* (1986; Efrog Newydd: W. W.
Norton & Company, Ltd, 1996).

[5] R. Dawkins, *The God Delusion (A Black Swan Book)* (Llundain:
Transworld Publishers, 2006).

[6] K. Ward, *Pascal's Fire* (Rhydychen: One World Books, 2006), t. 61.

[7] I. G. Barbour, *Religion and Science: Historical and Contemporary Issues*
(Llundain: SCM Press, 1998), t. 230.

[8] *Humani generis* yn *http://w2.vatican.va/content/pius-xii/en/encyclicals/
documents/hf_p-xii_enc_12081950_humani-generis.html* (cyrchwyd
4 Rhagfyr 2016).

[9] *Humani generis*, para. 35.

[10] *Humani generis*, para. 36.

[11] M. S. Sorondo, *The Pontifical Academy of Science: A Historical Profile*
(Dinas y Fatican: Pontifical Academy, 2003), t. 2.

[12] E. C. Scott, *Evolution vs Creationism: An Introduction* (Berkeley:
California University Press, 2004).

[13] R. L. Numbers, *The Creationists: From Scientific Creationism to Intelligent
Design* (Cambridge, Massachusetts: Harvard University Press,
2006).

[14] Numbers, *The Creationists*, t. 180 ymlaen.

[15] Am fanylion y dadansoddiad hwn gweler, Dawkins, *The God
Delusion*, penodau 3, 4 a 5.

[16] A. E. McGrath, *Dawkins' God: Genes, Memes and the Meaning of Life*
(Rhydychen: Blackwell, 2005), t. 12.

[17] R. Dawkins, *Unweaving the Rainbow* (Boston: Houghton Mifflin,
1998).

[18] McGrath, *Dawkins' God*, t. 147.
[19] McGrath, *Dawkins' God*, tt. 158–9.

6 Biotechnoleg a Datblygiadau Meddygol

[1] T. Birkhead, *The Red Canary: the story of the first genetically engineered animal* (Burlington, Vermont: Llyfrau Phoenix, 2004).
[2] I. Wilmut, A. E. Schnieke, J. McWhir, A. J. Kind a K. H. Campbell, 'Viable offspring derived from foetal and adult mammalian cells', *Nature*, 385 (1997), 810–13.
[3] J. B. Gurdon, T. R. Elsdale a M. Fischberg, 'Sexually mature individuals of *Xenopus laevis* from the transplantation of single somatic nuclei', *Nature*, 182 (1958), 64–5.
[4] N. A. Davies, *Moeseg Gristnogol Gyfoes: Rhai Dylanwadau Ecwmenaidd* (Talybont: Y Lolfa, 2013).
[5] T. H. Jones, 'Cnydau a pheirianneg genynnol: ein safbwynt fel Cristnogion', *Cristion*, 94 (1999), 18–19.
[6] T. H. Jones a S. E. Hartley, 'GM crops – benefits and risks', *Foundations*, 3 (2000), 20–1.
[7] D. S. T. Nicholl, *An Introduction to Genetic Engineering* (3ydd arg.) (Caergrawnt: Cambridge University Press, 2008).
[8] *Genetically modified crops: the ethical and social issue* (Cyngor Biofoeseg Nuffield, 1999); *GM Crops: Understanding the Issues* (Diwydiant Biotechnoleg Amaethyddol DU, 2001).
[9] Human Genome Project Information Archive 1990–2003, *https://www.genome.gov/10001772/* (cyrchwyd 6 Mawrth 2016).
[10] D. J. H. Brock a R. G. Sutcliffe, 'Alpha-fetoprotein in the antenatal diagnosis of anencephaly and spina bifida', *The Lancet*, 300 (1972), 197–9.
[11] J. R. Riordan et al., 'Identification of the cystic fibrosis gene: cloning and characterization of complementary DNA', *Science*, 245 (1989), 1066–73.
[12] A. H. Handyside, J. G. Lesko, J. J. Tarín, R. M. Winston a M. R. Hughes, 'Birth of a normal girl after *in vitro* fertilization and pre-implantation diagnostic testing for cystic fibrosis', *New England Journal of Medicine*, 327 (1992), 905–9.
[13] D. Mackay, *Human Science and Human Dignity* (Llundain: Hodder and Stoughton, 1979), t. 58.
[14] M. Evans a M. Kaufman, 'Establishment in culture of pluripotential cells from mouse embryos', *Nature*, 292 (1981), 154–6.

[15] Am adolygiad o'r defnydd o fôngelloedd yng nghyd-destun adfer meinwe'r galon, gweler N. A. Davies, 'Rôl bôn-gelloedd mewn adfer meinwe cardiaidd: Gwerthuso triniaethau ac adnabod risg', *Gwerddon*, 20 (2015), *http://www.gwerddon.org/cy/rhifynnau/rhifynnaugwerddon/teitl-7950-cy.aspx* (cyrchwyd 30 Medi 2015).

[16] B. E. Tuch, 'Stem cells – a clinical update', *Australian Family Physicians*, 35 (2006), 719–21.

[17] Davies, *Moeseg Gristnogol Gyfoes*, tt. 60–75.

[18] D. L. Clarke et al., 'Generalized potential of adult neural stem cells', *Science*, 288 (2000), 1660–3.

[19] G. McGee, *The Perfect Baby: Parenthood in the New World of Cloning and Genetics* (Lanham, Maryland: Rowman & Littlefield, 2000).

[20] G. E. Pence, *Who's Afraid of Human Cloning?* (Lanham, Maryland: Rowman & Littlefield, 1998).

[21] R. Edwards, 'Ethics and Embryology: the case for experimentation', yn A. Dyson a J. Harris (goln), *Experiments on Embryos (Social Ethics and Policy)* (Rhydychen: Routledge, 1990), t. 48.

[22] Mackay, *Human Science and Human Dignity*, t. 58.

[23] T. F. Torrance, *Theological Science* (Efrog Newydd: Oxford University Press, 1962).

[24] Torrance, *Theological Science*, t. 18.

[25] O. O'Donovan, *Begotten or Made* (Rhydychen: Oxford University Press, 1984), t. 8.

[26] B. Haring, *Manipulation* (Slough: Gwasg St Pauls, 1975).

[27] O. O'Donovan, *The Resurrection and the Moral Order* (Llundain: Inter-varsity Press, 1986).

[28] E. L. Mascall, *Christian Theology & Natural Science – The Bampton Lectures* (Llundain: Cyhoeddiadau Longman, 1956), t. 314.

[29] A. Rollinson, *A Christian Perspective on Genetics* (Newcastle upon Tyne: The Christian Institute, 1995).

[30] Mascall, *Christian Theology & Natural Science*, t. 17.

[31] I. Kant, *Groundwork of the Metaphysics of Morals* (1785; New Haven, Connecticut: Yale University Press, 2002).

[32] C. S. Lewis, *The Abolition of Man* (Llundain: Collins Fount Paperback Books, 1978), t. 36.

7 Y Natur Ddynol

[1] J. Daniel, 'Platon', yn J. Daniel a W. L. Gealy (goln), *Hanes Athroniaeth y Gorllewin* (Caerdydd: Gwasg Prifysgol Cymru, 2009), t. 49.

[2] H. Lorenz, 'Ancient Theories of Soul', yn E. N. Zalta (gol.), *The Stanford Encyclopedia of Philosophy* (Haf 2009), *http://plato.stanford.edu/archives/sum2009/entries/ancient-soul/* (cyrchwyd 14 Awst 2014).

[3] J. Fitzgerald, 'Aristoteles', yn Daniel a Gealy (goln), *Hanes Athroniaeth y Gorllewin*, t. 61.

[4] K. Ward, *Christianity: A Shorter Introduction* (Rhydychen: One World Books, 2000), t. 29.

[5] Ward, *Christianity*, t. 30.

[6] B. Davies (cyf. J. Fitzgerald), 'Tomos Acwin', yn Daniel a Gealy (goln), *Hanes Athroniaeth y Gorllewin*, t. 175 ac yn dyfynnu o 'Super Epistolam Primam Pauli Apostoli ad Corinthos', yn *In Omnes S. Pauli Apostoli Epistolas Commentaria*, cyf. 1 (Rhufain: Marietti Taurini, addasiad 1924).

[7] F. Watts, *Theology and Psychology* (Aldershot: Ashgate, 2002), t. 63 ymlaen.

[8] Watts, *Theology and Psychology*, t. 73.

[9] Watts, *Theology and Psychology*, t. 76.

[10] Am wahaniaethau genynnol gweler L. M. Cherry, S. M. Case ac A. C. Wilson, 'Comparison of frogs, humans and chimpanzee', *Science*, 204 (1979), 434–5; am wahaniaethau ymddygiadol gweler L. Castro a M. A. Toros, 'The evolution of culture: From primate social learning to human culture', *Proceedings of the National Academy of Sciences of the USA*, 101/27 (2004), 10235–40, yn *www.pnas.orgcgidoi10.1073pnas. 0400156101 Ca* (cyrchwyd 14 Awst 2014).

[11] L. Stevenson a L. F. Stevenson, *The Study of Human Nature: A Reader* (2il arg.) (Rhydychen: Oxford University Press, 2000).

[12] Gweler, er enghraifft, M. Ruse, *Evolutionary Naturalism* (Llundain: Routledge, 1995); M. Ruse, 'A Darwinian Naturalist's Perspective on Altruism', yn S. G. Post, L. G. Underwood, J. P. Schloss a W. B. Hurlbut, *Altruism and Altruistic Love: Science, Philosophy, and Religion in Dialogue* (Rhydychen: Oxford University Press, 2002), tt. 151–64.

[13] I. G. Barbour, *Religion and Science: Historical and Contemporary Issues* (Llundain: SCM Press, 1998), t. 256.

[14] E. O. Wilson, *On Human Nature* (Cambridge, Massachusetts: Harvard University Press, 1978), t. 201.

[15] Barbour, *Religion and Science*, t. 257.

[16] Gweler, er enghraifft, P. Williams, *Rethinking Madness: Towards a Paradigm Shift in Our Understanding and Treatment of Psychosis* (San Rafael, California: Skye's Edge Publishing, 2012).

[17] Gweler, er enghraifft, P. Hunter, 'The Psycho Gene', *EMBO Report*, 11/9 (2010), 667–9; J. R. Blair, 'Neurobiological basis of psychopathy', *The British Journal of Psychiatry*, 182 (2003), 5–7; R. J. R. Blair, 'The

neurobiology of psychopathic traits in youths', *National Review of Neuroscience*, 14 (2014), 786–99.

[18] Barbour, *Religion and Science*, t. 272.

[19] J. Polkinghorne, *Science and Theology* (Llundain/Minneapolis: SPCK/ Fortress Press, 1998), t. 91.

[20] R. Williams a N. A. Davies (goln), *Cymru: Cymdeithas Foesol?* (Abertawe: Cytûn, 1996), t. 5.

[21] K. Ward, *Pascal's Fire* (Rhydychen: One World Books, 2006), t. 247.

8 Glendid Maith y Cread

[1] Yn ôl tystiolaeth enetig ymwahanodd y primatiaid oddi wrth famaliaid eraill tua 85 miliwn o flynyddoedd yn ôl; ymddengys y ffosiliau cynharaf o tua 55 miliwn o flynyddoedd yn ôl. Ymwahanodd teulu'r Hominidae (y teulu dynol) o deulu'r giboniaid rhyw 15–20 miliwn o flynyddoedd yn ôl, a'r gorilaod a'r tsimpansïaid 4–6 miliwn o flynyddoedd yn ôl. Ceir tystiolaeth o'r aelod cyntaf o'r genws *Homo*, *Homo habilis*, tua 2.3 miliwn o flynyddoedd yn ôl a chredir i *Homo sapiens* esblygu rhwng 400,000 a 250,000 o flynyddoedd yn ôl. Gweler: S. Jones, R. Martin a P. Pilbeam, *The Cambridge Encyclopedia of Human Evolution* (Caergrawnt: Cambridge University Press, 1992).

[2] M. Bampton, 'Anthropogenic Transformation', yn D. E. Alexander a R. W. Fairbridge (goln), *Encyclopedia of Environmental Science* (Dordrecht, Yr Iseldiroedd: Cyhoeddwyr Academaidd Kluwer, 1999).

[3] P. Crutzen ac E. F. Stoermer, 'The Anthropocene', *International Geosphere-Biosphere Programme Newsletter*, 41 (2000), 17–18.

[4] A. R. Peacocke, *Creation and the World of Science* (Rhydychen: Oxford University Press, 1979).

[5] B. Ward a R. Dubos, *Only One Earth* (Harmondsworth: Penguin, 1972).

[6] L. T. White, 'The historical roots of our ecological crisis', *Science*, 155 (1967), 1203–7.

[7] C. Darwin, *On the Origin of Species by Means of Natural Selection, or the Preservation of Favoured Races in the Struggle for Life* (Llundain: John Murray, 1859).

[8] C. Darwin, *The Descent of Man, and Selection in Relation to Sex* (Llundain: John Murray, 1871), cyf. 1, t. 86.

[9] R. Page, *In Relationship with Creation*. Dogfen Drafod a baratowyd i Gyngor Eglwysi Prydain ac Iwerddon (1990).

[10] L. Osborne, *Guardians of Creation: Nature in Theology and the Christian Life* (Caerlŷr: Apollos, 1993).

[11] Osborne, *Guardians of Creation*, t. 107.

[12] K. Schmitz, *The Gift: Creation* (Milwaukee: Marquette University Press, 1982).

[13] D. Bonhoeffer, *Creation and Fall: A Theological Interpretation of Genesis 1–3* (Llundain: SCM Press, 1959), t. 43.

[14] J. Calvin, *Commentaries on the First Book of Moses, called Genesis*, cyf. J. King (Caeredin: Calvin Translation Society, 1848).

[15] Er enghraifft, ymdebyga genynnau dynol i 96–8 y cant o enynnau'r tsimpansi (T. S. Mikkelsen et al., 'Initial sequence of the chimpanzee genome and comparison with the human genome', *Nature*, 437 (2005), 69–87), 90 y cant o enynnau'r gath (J. U. Pontius et al., 'Initial sequence and comparative analysis of the cat genome', *Genome Research*, 17 (2007), 1675–89), a 60 y cant o enynnau'r gleren ffrwythau, *Drosphila* (P. C. Fitzgerald et al., 'Comparative genomics of *Drosophila* and human core promoters' *Genome Biology*, 7 (2006), 7: R53).

[16] Pennod 2 yn T. A. Kantonen, *A Theology of Christian Stewardship* (Oregon: Wipf & Stock Publications, 2001).

[17] W. Brueggemann, *The Land: Place as Gift, Promise, and Challenge in Biblical Faith* (Llundain: SPCK, 1977).

[18] D. J. Hall, 'Stewardship as a Key to a Theology of Nature,' yn R. J. Berry (gol.), *Environmental Stewardship: Critical Perspectives – Past and Present* (Llundain: T & T Clark, 2006) tt. 129–44.

[19] Peacocke, *Creation and the World of Science*, t. 236.

[20] K. Ward. 'Creatio Continua', *Encyclopaedia of Science and Religion*, *http://www.encyclopedia.com* (cyrchwyd 27 Mai 2014).

[21] J. M. Gustafson, *A Sense of the Divine: The Natural Environment from a Theocentric Perspective* (Cleveland, Ohio: Pilgrim Press, 1994); J. M. Gustafson et al., '*A Sense of the Divine: The Natural Environment from A Theocentric Perspective*', *American Journal of Theology & Philosophy*, 16 (1995), 342–5.

[22] *oikonomeo*, rheolwr y tŷ; ffynhonnell mewn dau air: *oikos* (tŷ) a *nomos* (rheol/cyfraith); felly y sawl sy'n rheoli'r *oikonomos*.

[23] K. Bockmul, *Conservation and Lifestyle*, cyf. B. N. Kaye (Nottingham: Grove Books, 1977).

[24] P. Kockelkoren, *Fundamental Attitudes with Regards to Nature, http://www.dheaf.plus.com/warrebeekeeping/attitudes_to_nature.pdf* (cyrchwyd 21 Mawrth 2016). Lled-gyfieithiad o'r ddogfen ymgynghorol 'Ethical Aspects of Plant Biotechnology – Report to the Dutch Government

Commission on Ethical Aspects Biotechnology in Plants, Appendix 1 of Agriculture and Spirituality – Essays from the Crossroads Conference at Wageningen Agricultural University' (1995), tt. 99–105.

[25] J. C. Bergstrom, 'Subdue the Earth? What the Bible Says about the Environment', *The Areopagus Journal of the Apologetics Resource Center*, 7 (2007), 16–27.

[26] C. B. Barrett a J. C. Bergstrom, 'The Economics of God's Creation', *Bulletin of the Association of Christian Economists*, 31 (1998), 4–23.

[27] G. Sessions (gol.), *Deep Ecology for the Twenty-first Century* (Boston: Shambhala, 1995).

[28] Paragraff 72 o *Communion and Stewardship*. Dogfen ymgynghorol a baratowyd (2000–2) gan Gomisiwn Diwinyddol Rhyngwladol Eglwys Rhufain o dan lywyddiaeth Cardinal Ratzinger, yn ddiweddarach Pab Bened XVI.

[29] 'God Made Man the Steward of Creation', *L'Osservatore Romano*, 24 Ionawr 2001, 1.1

[30] Paragraff 7 o *The Human Family, a Community of Peace*. Neges y Pab Bened XVI i ddathlu Diwrnod Heddwch y Byd, 1 Ionawr 2008, *http://w2.vatican.va/content/benedict-xvi/en/messages/peace/documents/hf_ben-xvi_mes_20071208_xli-world-day-peace.html* (cyrchwyd 6 Hydref 2015).

[31] E. O. Wilson, *The Creation: An Appeal to Save Life on Earth* (Efrog Newydd: W. W. Norton and Company, 2007).

9 Credwn yn Nuw

[1] Am drafodaeth yn y Gymraeg o ymdriniaeth Tomos Acwin o gwestiwn Duw, gweler B. Davies (cyf. J. Fitzgerald), 'Tomos Acwin', yn J. Daniel ac W. L. Gealy (goln), *Hanes Athroniaeth y Gorllewin* (Caerdydd: Gwasg Prifysgol Cymru, 2009), t. 163 ymlaen.

[2] Davies, 'Tomos Acwin', t. 163.

[3] Davies, 'Tomos Acwin', t. 164.

[4] Davies, 'Tomos Acwin', t. 165.

[5] Tomos Acwin, *Super Librum Dionysii de Divinis Dominibus* (Rhufain: Marietti Taurini, addasiad 1950) a ddyfynnir yn Davies, 'Tomos Acwin', t. 166.

[6] Edward Jones, Maesyplwm (1761–1836), *Caneuon Ffydd* (Llandysul: Gwasg Gomer a Pwyllgor y Llyfr Emynau Cydenwadol, 2001): Emyn 215.

[7] R. Dawkins, *The God Delusion (A Black Swan Book)* (Llundain: Transworld Publishers, 2006), t. 100 ymlaen.

[8] Dawkins, *The God Delusion*, tt. 157–8.

[9] A. E. McGrath, *The Dawkins Delusion* (Llundain: SPCK, 2007), t. 7.

[10] McGrath, *The Dawkins Delusion*, t. 9.

[11] T. Brown a J. Walford Davies (goln), *R. S. Thomas Uncollected Poems* (Northumberland: Bloodaxe Books, 2013), t. 163.

[12] I. G. Barbour, *Religion and Science: Historical and Contemporary Issues* (Llundain: SCM Press, 1998), t. 173.

[13] J. Polkinghorne, *Science and Theology* (Llundain/Minneapolis: SPCK/Fortress Press, 1998), t. 48.

[14] P. Geach, *Providence and Evil* (Caergrawnt: Cambridge University Press, 1977), t. 58.

[15] Barbour, *Religion and Science*, t. 331 ymlaen.

[16] L. Miller a S. J. Granz, *Fortress Introduction to Contemporary Theologies* (Minneapolis: Fortress Press, 1998), t. 94.

[17] David Jenkins (gyda R. Jenkins), *Free to Believe* (Llundain: BBC Books, 1991), t. 61 ymlaen.

Mynegai

Mendel, Gregor 57, 91
Miller, L., 25, 110

Nambu, Yoichiro 34
Newton, Isaac ix, 5, 12, 48, 107
Nielson, Holger Bech 34

Osborne, Lawrence 94

Page, Ruth 94, 99
Paley, William 5
Peacocke, A. R. 92, 96
Perlmutter, Saul 39
Planck, Max 47
Platon 81ym., 98
Polkinghorne, John 14ym., 24, 38,
    41, 108
Ptolomeus, Claudius (Ptolemy)
    1
Pythagoras 1

Reich, Karl 67
Rembrandt (Harmenszoon van
    Rijn) 65
Rollinson, Andrew 76
Ruse, Michael 84

Susskind, Leonard 34

Tansley, Arthur 92
Thomas, R. S. 65, 106
Torrance, T. F. 75

von Linne, Carl (Linnaeus) 5

Wallace, Alfred Russel ix, 5, 7, 57,
    91
Ward, Barbara 92
Ward, Keith 36, 45, 59, 82, 90
Watson, James 9, 57

Watts, Fraser 82
Wetterich, Christoff 30
White, Lynn 93, 99
Whitehead, Alfred North 22ym.,
    27
Wilkins, Maurice 9
Williams, Rowan 89
Williams, Waldo 65
Wilson, E. O. 85, 100

Y Pab Bened XV 99
Y Pab Ffransis viii
Y Pab Ioan Pawl II 3, 61, 99
Y Pab Pawl VI 62
Y Pab Pïws XII 60
Y Santes Hilari 65
Yr Apostol Paul 65, 89

Llyfrau Beiblaidd

Genesis 3, 6, 19, 29, 31, 38, 61, 74,
    76, 88, 92, 94, 98ym., 106
Lefiticus 95, 100
Y Salmau 66, 87, 98, 100, 106
Efengyl Mathew 97
Efengyl Marc 97
Efengyl Luc 97
Efengyl Ioan 76
Actau'r Apostolion 97
Rhufeiniaid 97ym.
1 Corinthiaid 65, 97
Effesiaid 90
Colosiaid 97
2 Thessaloniaid 97
1 Timotheus 97
Hebreaid 89
1 Ioan 98
Iago 74
Datguddiad Ioan 99